4/90

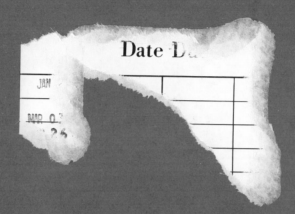

Date D...

| JAN | | | | |
| MAR 0 | | | | |

SCIENCE 2000

LE CORPS HUMAIN

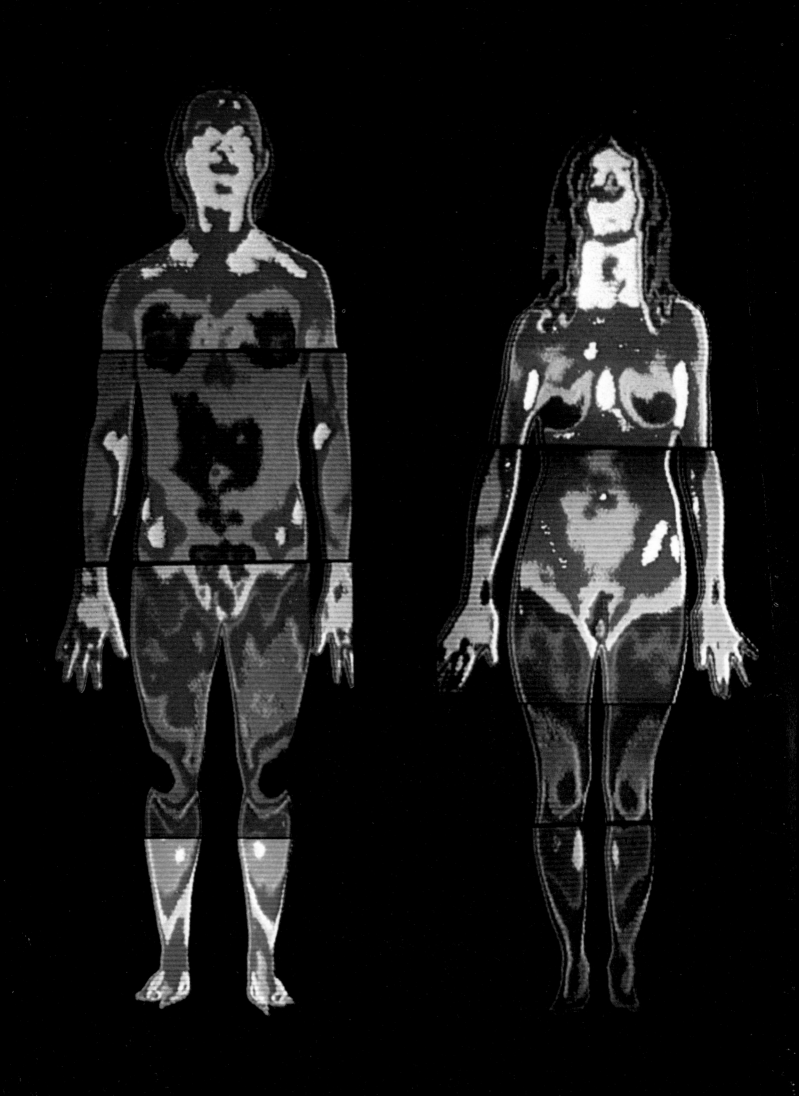

SCIENCE 2000

LE CORPS HUMAIN

anatomie et fonctionnement

IRENE FEKETE ET PETER DORRINGTON WARD

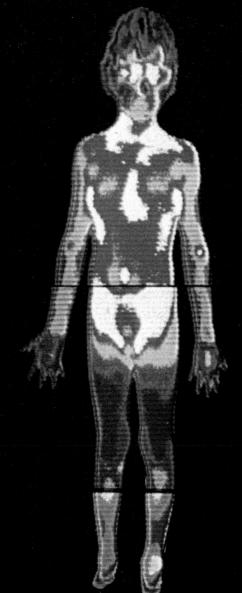

DEUX COQS D'OR

Texte français de Thérèse During

Avec le concours du Docteur Alain Briot
Attaché des Hôpitaux de Paris

Pour l'édition originale
Rédaction : Penny Clarke
Maquette : Roger Kohn

Édition originale publiée en anglais
sous le titre « The Human Body »
© 1984 Orbis Publishing Limited, London
© 1986 Éditions des Deux Coqs d'Or,
Paris, pour l'édition en langue française

ISBN 2-7192-1189-3
Édition originale : ISBN 0-85613-769-3,
Orbis Publishing Limited, London

Sommaire

▲ *Le champion de tennis Bjorn Borg en action.*

> **Note** : les mots usuels de l'anatomie sont expliqués dans le glossaire de la page 62. La première fois que vous les verrez, ils seront écrits en *italique*

1. La structure du

Le besoin de savoir

La curiosité est la chose la plus naturelle du monde. Qu'est-ce que cela ? Comment est-ce fait ? A quoi cela sert-il ? Qu'est-ce que cela deviendra ? Ces questions se posent à tout propos, et à plus forte raison à propos de notre corps.

Un jour où vous enragez d'être cloîtré à la maison parce que vous avez attrapé la varicelle, vous vous interrogez sur l'origine de ces maudits boutons… Puis vous vous mettez à réfléchir aux microbes et à votre peau. Pourquoi votre front est-il lisse, sauf lorsque vous froncez les sourcils, alors que celui de votre grand-mère est toujours ridé même quand elle sourit ? Si vous avez une coupure au doigt ou un genou couronné, vous regardez le sang : rouge au début, il devient brun foncé, puis s'arrête de couler. La peau guérit. Quelques jours après, on ne voit plus rien. Quel mystère !

Le Père de l'anatomie

Il y a deux mille cinq cents ans, les Grecs de l'Antiquité se posaient déjà les mêmes questions. Méthodiquement, patiemment, ils entreprirent d'analyser, de décrire et de comparer ce qu'ils pouvaient observer.

corps

C'est ainsi que, peu à peu, leur curiosité a donné naissance à une science. Les premiers progrès importants sont dûs à un Grec du nom d'Aristote, qui enseignait à Athènes en 350 avant J.-C. Il pensa qu'on pourrait se faire une idée de la construction du corps humain si l'on regardait vivre et que l'on examinait l'intérieur du corps des animaux. l'action d'ouvrir un cadavre pour en examiner les parties internes est ce qu'on appelle une *dissection*. Même à notre époque où les chercheurs ont des instruments prodigieux comme le microscope pour étudier les plus petites parcelles des plantes, des animaux et du corps humain, la dissection garde son importance. Elle est encore à la base de *l'anatomie*, la science qui a pour objet d'expliquer la manière dont sont construits les êtres vivants.

La nouveauté et l'importance de son œuvre ont valu à Aristote le nom de Père de l'Anatomie. Vingt-deux ans après sa mort un savant obtenait en Égypte l'autorisation de disséquer le corps d'un condamné à mort après son exécution. Avant cette date, personne n'avait eu la possibilité de travailler sur un cadavre humain. Avec la dissection pratiquée publiquement à Alexandrie en Égypte, l'anatomie devenait une branche de la science officielle.

◄ *Aristote (au centre à gauche) entouré de ses élèves. Le philosophe ne donne pas ses cours dans un laboratoire mais sous le porche d'un édifice monumental. Il ne se sert d'aucun matériel pour apprendre à ses disciples à comparer la façon dont les plantes, les animaux et les hommes se développent pour comprendre comment ils vivent. Sa méthode a servi de modèle aux hommes de science jusqu'à l'époque moderne.*

L'anatomie : découverte du corps humain

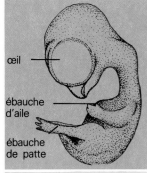

œil

ébauche d'aile

ébauche de patte

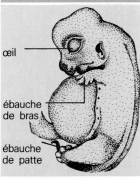

œil

ébauche de bras

ébauche de patte

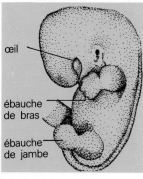

œil

ébauche de bras

ébauche de jambe

▲ *Ces trois embryons, des êtres en formation, semblent presque pareils, sauf pour l'œil du spécialiste. Celui du haut est un poulet de 8 jours. Les poussins se développent très vite : ils éclosent au bout de 21 jours. Au centre, un porc de 3 semaines ; il grandit plus lentement et ne naîtra que dans 16 semaines. L'image du bas est un embryon humain de 5 semaines. Il se passera encore 33 semaines jusqu'à sa naissance.*

Après des débuts prometteurs en Grèce et en Egypte, l'anatomie ne fit que peu de progrès pendant quatorze cents ans. En effet, la dissection était alors considérée comme un péché en Europe. Les hommes de science ne pouvant pas ouvrir les corps pour les observer, ils étaient obligés de se baser sur les connaissances des Grecs transmises par des manuscrits. Mais au cours des siècles les copieurs avaient fait des fautes et on tenait pour des vérités des erreurs qui s'étaient glissées dans les textes.

Au seizième siècle, on commence pourtant à autoriser en certains endroits la dissection. Le Belge André Vésale se rend ainsi de Bruxelles à Padoue, en Italie, et en profite pour éditer la première description complète du corps humain. Ses dessins se basent sur des dissections qu'il a pratiquées lui-même. Ces magnifiques gravures devinrent une source d'inspiration autant pour les artistes que pour les scientifiques : l'anatomie fait encore aujourd'hui partie de l'enseignement des arts plastiques.

Le premier microscope

Cent ans après Vésale, le savant hollandais Anton Van Leewenhoek inventait le microscope, merveilleux instrument pour tous les chercheurs, mais particulièrement utile à l'étude du corps humain : tous nos organes sont constitués d'innombrables éléments minuscules et l'invention du microscope permit d'observer des choses si petites qu'elles sont invisibles à l'œil nu.

Les moyens modernes

Il existe à présent des instruments plus puissants que le microscope optique notamment les rayons X, le scanner et les détecteurs à ultrasons. Au lieu de la lumière, les microscopes électroniques utilisent des décharges d'énergie, qui permettent de voir des éléments imperceptibles au microscope le plus puissant. La radiographie est basée sur une combinaison d'énergie et de photographie : les rayons X traversent la peau et impressionnent la pellicule en donnant une

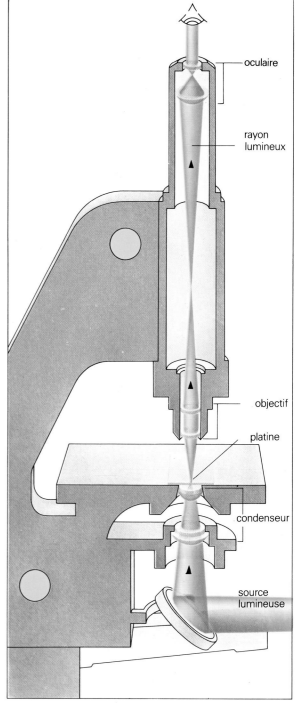

oculaire

rayon lumineux

objectif

platine

condenseur

source lumineuse

image de l'intérieur du corps. Les ultrasons sont une des plus récentes méthodes : certaines ondes sonores traversent la peau et rebondissent sur les organes, cœur, cerveau ou autre, avant de revenir à leur point de départ.

Le scanner est couplé avec un écran de télévision, qui retransmet le film de ce qui se passe à l'intérieur du corps au moment même de l'examen.

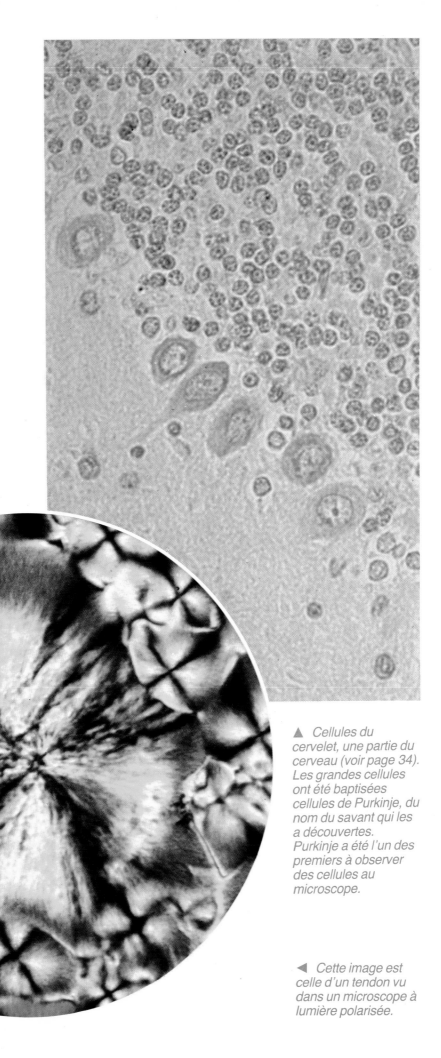

◄ Le microscope est un instrument indispensable pour l'étude du corps. Ci-contre, un microscope optique ordinaire. Ses lentilles, petites pastilles de verre convexes, dévient les rayons lumineux, de telle manière que les objets sont agrandis. On place sur une lamelle de verre une parcelle de ce qu'on veut observer. L'objectif donne un grossissement qui peut aller jusqu'à 10 000 fois. L'oculaire grossit encore l'image qui arrive à l'œil.

▲ Cellules du cervelet, une partie du cerveau (voir page 34). Les grandes cellules ont été baptisées cellules de Purkinje, du nom du savant qui les a découvertes. Purkinje a été l'un des premiers à observer des cellules au microscope.

◄ Cette image est celle d'un tendon vu dans un microscope à lumière polarisée.

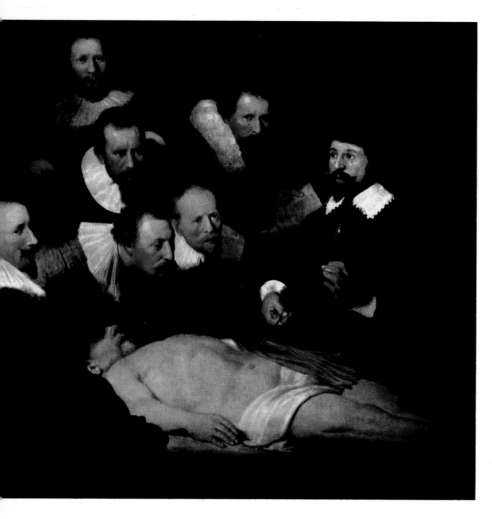

La physiologie : comment fonctionne le corps humain

Une fois qu'on a découvert et décrit avec précision ce qu'il y a dans le corps, il reste encore beaucoup de problèmes à résoudre. Il faut voir aussi de quelle manière tout cela s'organise pour fonctionner ensemble. Cette sorte d'information est parfois difficile à obtenir. Les chercheurs ont dû attendre pour progresser que des méthodes de recherche et des instruments plus perfectionnés soient mis au point. Il est important de faire le lien entre toutes les connaissances. La science qui a pour objet d'expliquer le fonctionnement des différentes parties d'un corps vivant est la *physiologie*. Anatomie et physiologie sont la base de l'enseignement de la médecine partout dans le monde.

William Harvey découvre la circulation du sang

En 1628 un médecin anglais, William

▲ La leçon d'anatomie donnée par le Hollandais Nicholas Tulp (à droite). Il a écarté la peau du bras d'un cadavre pour mettre les muscles à nu. Il s'adresse à des étudiants du XVIIe siècle en Hollande.

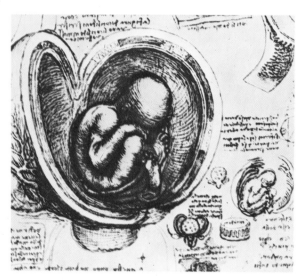

▲ Ce dessin précis d'un enfant dans le ventre de sa mère avant sa naissance est dû à Léonard de Vinci. Le célèbre peintre accordait à la recherche scientifique autant d'importance qu'à l'art. Il avait pratiqué lui-même des dissections.

▶ Cette gravure détaillée des muscles qui se trouvent sous la peau est l'œuvre de Vésale (1543). Ce genre de représentation était d'un grand secours pour les médecins.

Harvey se spécialise dans l'étude du cœur et du sang. A cette époque, on croit que le sang imbibe les vaisseaux à l'intérieur du corps comme l'eau imbibe une éponge. Cependant, en disséquant un corps, Harvey constate que le cœur ressemble à une petite pompe. Il remarque une multitude de tuyaux reliés les uns aux autres, les uns gros, les autres minuscules, qui se dirigent vers toutes les parties du corps. Lorsqu'il noue un lien serré autour du bras d'un homme vivant, il observe un vaisseau rempli de sang, une veine, se gonfler sous la peau et, quand il appuie doucement dessus, il sent le liquide bouger à l'intérieur. Peu à peu, la lumière se fait dans son esprit : le cœur est bel et bien une pompe ; tous les vaisseaux sanguins forment un circuit, dans lequel le sang coule sans arrêt d'un bout à l'autre du corps.

Les autres systèmes du corps

Encouragés par la découverte de Harvey, médecins et savants se mettent à chercher les rapports qui existent entre certaines parties du corps, *les organes*, et les activités essentielles (manger, respirer, grandir, faire des enfants). Les organes sont étudiés par groupes, formant des ensembles nommés *systèmes*.

En l'espace de deux cents ans, la plupart des grandes découvertes sur le fonctionnement de l'organisme ont été réalisées. On sait aujourd'hui que l'entrée et la sortie de l'air est commandée par le système *respiratoire* qui comprend la bouche, le nez, les bronches, un muscle puissant appelé diaphragme, les poumons et les côtes. Le système *digestif* qui transforme la nourriture en énergie vitale est, lui aussi, composé de plusieurs parties : les plus importantes sont l'estomac et un long tuyau sinueux, l'intestin. C'est le système *reproducteur* qui différencie notre sexe : le système reproducteur de la fille est constitué d'organes qui produiront les « œufs », ovules, qui peuvent se transformer en bébés. Celui du garçon produit la semence nécessaire pour que l'œuf devienne un enfant. Le système *nerveux* relie le cerveau à toutes les parties du corps ; c'est grâce à lui que nous pouvons voir, entendre, parler et bouger.

▼ *La radiographie et la photographie en couleurs montrent l'intérieur du corps vivant en train de fonctionner. Ici on voit nettement les os du crâne, les dents et le cou d'un boxeur. On distingue dans le gant de boxe les petits os du poing de son adversaire en train de le frapper.*

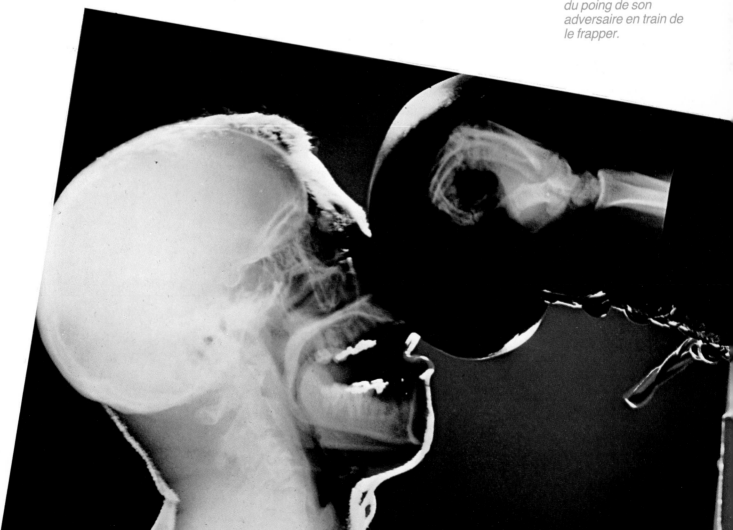

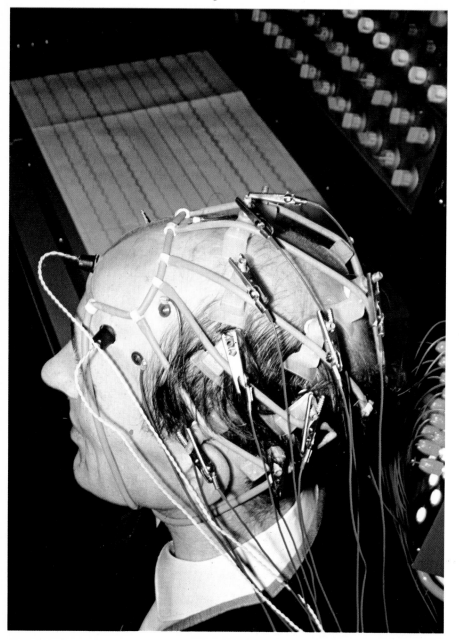

Les cellules : matériaux de construction du corps

Devinez quelle est la plus petite partie du corps ? Un cil ? Un vaisseau qui apporte le sang au bout du doigt ? Une pellicule de peau ? Vous n'y êtes pas ! La plus petite partie du corps est une cellule. Dans un corps humain adulte, il y a à peu près mille millions de millions de cellules de plusieurs sortes. Les cellules d'une même espèce forment un tissu ; les tissus se groupent à leur tour pour former des organes comme le cœur et des structures comme l'os.

Une cellule est une minuscule goutte de substance visqueuse entourée d'une très fine membrane. Si petite qu'elle soit, la cellule se compose de multiples parties qui jouent chacune un rôle actif. La cellule est l'unité de base de la vie ; vue au microscope, elle montre autant d'animation que les rues d'une ville. Tous les êtres vivants, plantes, animaux et humains sont faits de cellules. Les cellules saines travaillent ensemble en bonne harmonie, suivant leur spécialité.

Pour faire de nouvelles cellules, chacune peut se diviser en deux ou plusieurs cellules identiques à elle-même.

▲ Le cerveau est un organe si compliqué et si bien protégé par la boîte cranienne que les physiologistes ont mis beaucoup de temps pour connaître son fonctionnement. Les fils attachés sur la tête de cet homme sont faits pour capter des signaux électriques très faibles. Les signaux du cerveau s'inscrivent de la même façon qu'une émission d'ondes radio en code. On sait à présent à quelle partie du cerveau correspond chaque partie du corps.

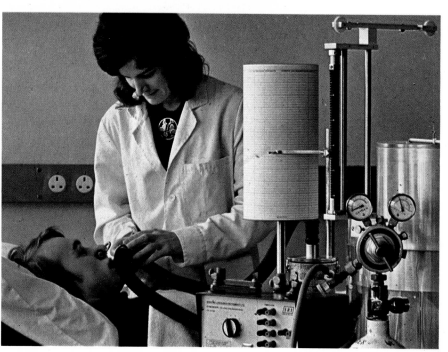

◄ Ce jeune homme se soumet à un test destiné à étudier le système respiratoire. Il souffle et aspire par deux tuyaux reliés à des appareils de détection. Sur le tambour tournant du centre, une pointe trace une ligne qui indique la quantité d'oxygène (gaz nécessaire à la vie) retirée de l'air et absorbée dans les poumons.

12

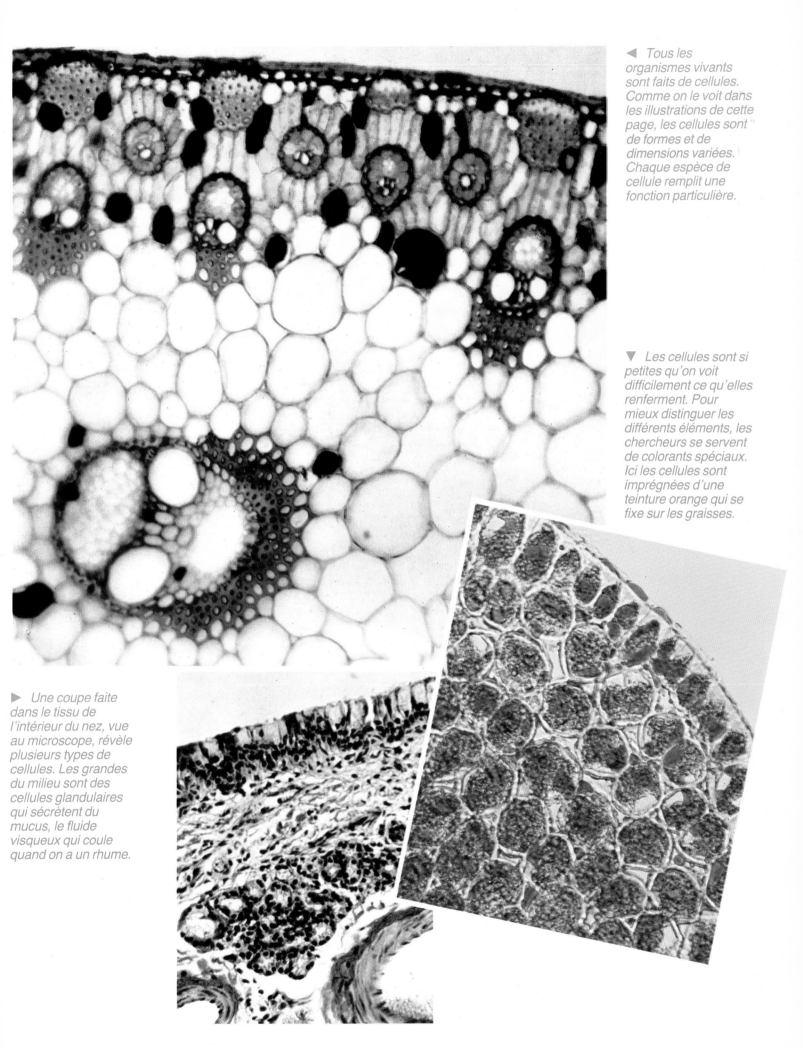

◄ Tous les organismes vivants sont faits de cellules. Comme on le voit dans les illustrations de cette page, les cellules sont de formes et de dimensions variées. Chaque espèce de cellule remplit une fonction particulière.

▼ Les cellules sont si petites qu'on voit difficilement ce qu'elles renferment. Pour mieux distinguer les différents éléments, les chercheurs se servent de colorants spéciaux. Ici les cellules sont imprégnées d'une teinture orange qui se fixe sur les graisses.

► Une coupe faite dans le tissu de l'intérieur du nez, vue au microscope, révèle plusieurs types de cellules. Les grandes du milieu sont des cellules glandulaires qui sécrètent du mucus, le fluide visqueux qui coule quand on a un rhume.

13

Toute cellule se compose de 3 parties : une *membrane* qui l'entoure, un *cytoplasme* qui constitue son corps et un *noyau* qui dirige son travail. La membrane a la propriété de sélectionner les substances qui entrent et sortent de la cellule. Le cytoplasme est une gelée grise qui peut renfermer toutes sortes de structures et même, chez certaines cellules, de petits sacs de pigments qui le colorent. Le noyau, tel un poste de commande, joue un rôle décisif quand la cellule se divise. Il donne les instructions nécessaires pour que les nouvelles cellules soient conformes au modèle original.

► En haut de la page suivante sont représentés sept types de cellules différentes (de A à G). Au-dessous, l'artiste a composé une cellule imaginaire pour montrer tout ce que peut renfermer une cellule.

A Cellule végétale.
B Cellule nerveuse du cerveau.
C Cellule de forme allongée comme celles qui tapissent la gorge et les parois de l'intestin.
D Autre type de cellule du cerveau. Celle-ci soutient et alimente celles du type B.
E Cellule contenant un suc spécial destiné à la digestion.
F Cellule musculaire qui change facilement de forme.
G Cellule de la peau contenant des taches de couleur.

1 La membrane de la cellule communique avec une autre enveloppe intérieure, la membrane du noyau.
2 Le noyau de la cellule contenant le nucléole (2a) partie active de la cellule.
3 Mitochondrie qui fournit de l'énergie.
4 Certaines cavités, vacuoles et saccules, sont vides, d'autres tiennent en réserve les substances fabriquées par la cellule.
5 Certaines structures produisent des protéines, éléments essentiels de toute matière vivante.

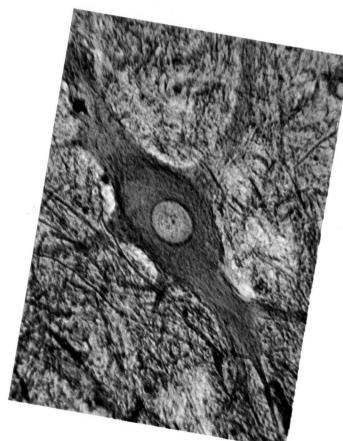

▲ Une cellule nerveuse isolée prise dans un nerf rachidien et grossie 2 000 fois. Ce genre de cellules transmet les messages du cerveau aux muscles.

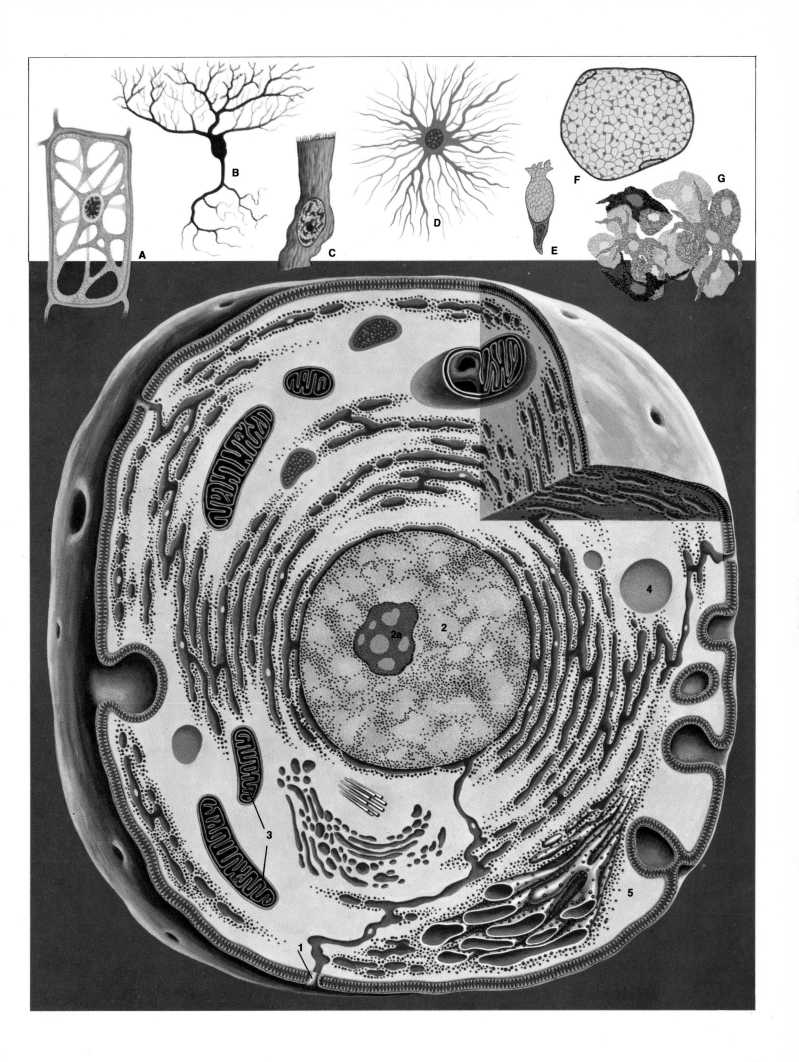

Os et articulations

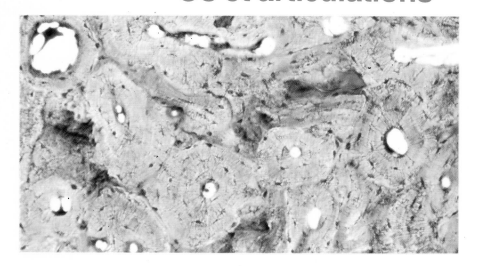

tourner l'avant-bras. Parfois, le cartilage des articulations se détériore. Cette maladie, l'arthrite, rend tout mouvement très douloureux.

◀ Coupe d'un os dur photographiée au microscope. Elle fait apparaître les canaux de Havers comme des trous blancs entourés de cellules plus foncées.

▼ Radiographie des os d'une main normale.

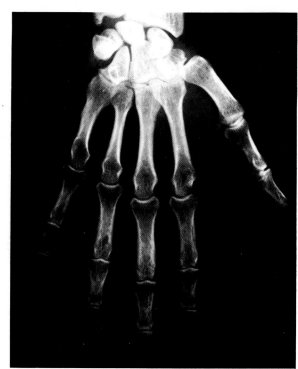

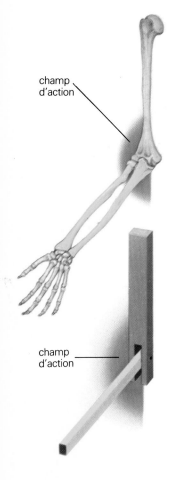

champ d'action

champ d'action

▲ Le coude de l'homme (en haut) fonctionne comme une charnière qui assemble deux morceaux de bois (au-dessous).

L'os est un tissu vivant, très résistant, qui grandit et se répare lui-même en cas de blessure. Dans les ossements que l'on peut voir au muséum, seule la partie minérale subsiste ; l'os vivant, lui, renferme des parties molles. L'une d'elles est la moelle rouge qui fabrique de nouveaux globules rouges pour le sang. Les os donnent au corps sa forme générale et sa solidité. Il y a environ 250 os dans le corps humain. Ils constituent le squelette. Certains servent de protection aux organes délicats : le crâne pour le cerveau, les côtes pour les poumons et le cœur. Les autres os permettent les mouvements du corps.

Une jointure ou une articulation d'un type déterminé réunissent les os en contact. A la fin de la croissance, certaines jointures se fixent, : les lignes que l'on observe sur un crâne sont en fait des soudures. Les articulations des os de la colonne vertébrale reposent sur les disques vertébraux en *cartilage*, un tissu élastique qui peut être comprimé et tordu mais qui reprend toujours sa forme. C'est ainsi que nous pouvons nous courber et nous tourner. Mais il arrive parfois qu'un disque sorte de sa place et cela cause des troubles douloureux.

Les articulations des bras et des jambes permettent les mouvements larges : la tête d'un os, arrondie, s'ajuste dans la partie creuse d'un autre os, nommée cavité articulaire et remplie d'un liquide visqueux qui permet à la tête de glisser facilement. Le genou est une articulation simple comme une charnière. Le coude, à la fois charnière et pivot, permet de plier et de

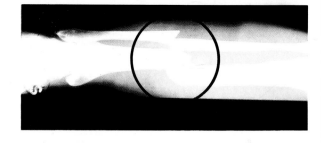

▲ Radiographie d'une jambe cassée. Les os devront être remis en place pour que la soudure se fasse normalement.

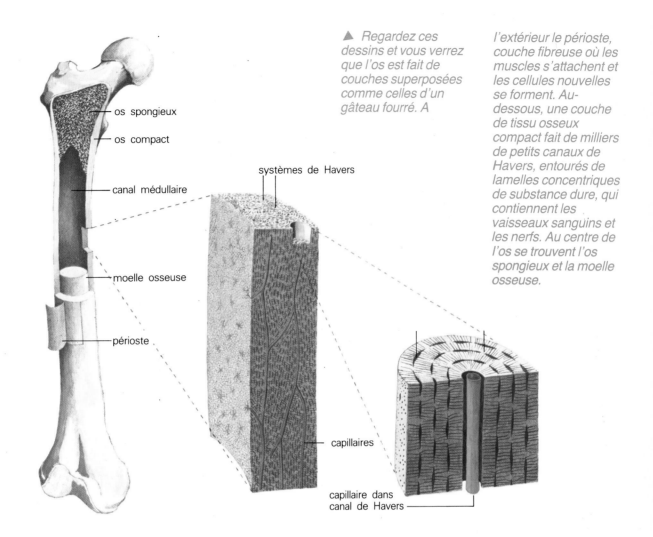

▲ Regardez ces dessins et vous verrez que l'os est fait de couches superposées comme celles d'un gâteau fourré. A

l'extérieur le périoste, couche fibreuse où les muscles s'attachent et les cellules nouvelles se forment. Au-dessous, une couche de tissu osseux compact fait de milliers de petits canaux de Havers, entourés de lamelles concentriques de substance dure, qui contiennent les vaisseaux sanguins et les nerfs. Au centre de l'os se trouvent l'os spongieux et la moelle osseuse.

os spongieux

os compact

canal médullaire

moelle osseuse

périoste

systèmes de Havers

capillaires

capillaire dans canal de Havers

▶ Deux dessins montrant comment fonctionne l'articulation de la hanche. A gauche, la tête du fémur logée dans sa cavité. A droite les os sont écartés pour montrer les pièces de l'articulation et les ligaments qui la maintiennent en place.

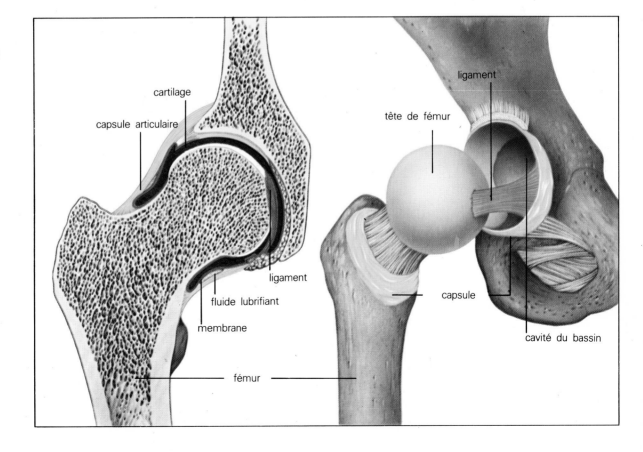

cartilage

capsule articulaire

ligament

tête de fémur

ligament

fluide lubrifiant

membrane

capsule

cavité du bassin

fémur

2. Comment fonctionne le corps

Cœur et poumons

Les poumons et le cœur sont des organes essentiels qui travaillent ensemble à alimenter le sang en oxygène, à éliminer le gaz carbonique et à faire circuler le sang pour que toutes les cellules du corps restent en vie. Le cœur est une pompe vivante grosse comme le poing. Il contient quatre cavités. Du côté droit il reçoit le sang noir « désoxygéné », qui a épuisé son oxygène en le donnant aux cellules pendant son voyage autour du corps. Ce sang est apporté au cœur par des vaisseaux

dénommés *veines*. Le cœur propulse le sang noir dans les poumons. Les poumons échangent le gaz carbonique contre de l'oxygène qui se fixe sur le sang et le rend rouge. Le sang rouge retourne au cœur du côté gauche. Il est envoyé dans des vaissaux, nommés *artères*, qui le font voyager dans tout le corps. En moins d'une minute, le sang fait le tour complet du corps, aller et retour, de la tête au bout des pieds en passant par le cœur et les poumons.

La plupart des mouvements, ceux des bras et des jambes par exemple, n'ont lieu que si le cerveau en donne l'ordre aux muscles. Le cœur lui aussi est un muscle, mais contrairement aux autres, il a en lui-même son moteur. Il se contracte et se relâche sans qu'on ait besoin d'y penser. Il

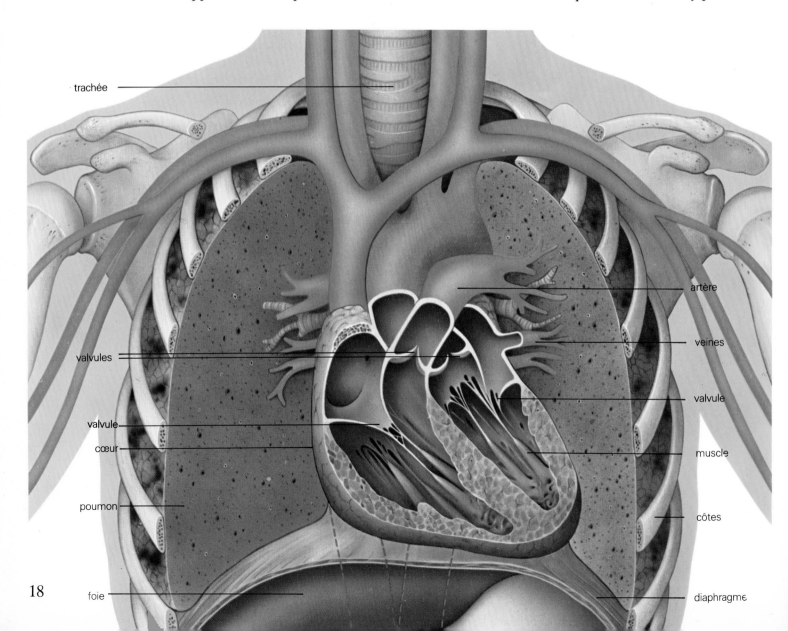

trachée

artère

veines

valvules

valvule

valvule

muscle

cœur

poumon

côtes

foie

diaphragme

bat environ soixante-dix fois par minute et
ne se repose qu'une demi-seconde entre
deux battements.

Les poumons

Les poumons sont faits d'un tissu
élastique spécial, différent du muscle
cardiaque. Les poumons ne se contractent
pas d'eux-mêmes. Un muscle très robuste,
le *diaphragme*, est tendu sous les
poumons ; il s'élève et s'abaisse pour
écarter et rapprocher les côtes de manière à
faire entrer l'air avec l'oxygène et à le faire
sortir avec le gaz carbonique. L'air qu'on
respire traverse une série de conduits de
plus en plus petits pour aboutir à des sacs
minuscules, les alvéoles. C'est là que se
produit l'échange des gaz dans le sang. Les
poumons aspirent et rejettent l'air en
moyenne 15 à 20 fois par minutes.

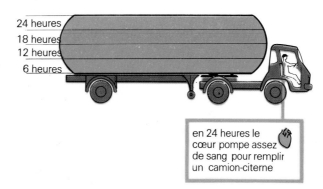

en 24 heures le
cœur pompe assez
de sang pour remplir
un camion-citerne

Une collaboration étroite

Le cœur et les poumons travaillent plus
rapidement quand on fait un exercice
violent. Pendant qu'on dort ou qu'on se
repose, le rythme se ralentit, mais il ne
s'arrête jamais. Cette association du cœur
et des poumons est l'une des plus
importantes de l'organisme.

◄ *Le cœur est un
muscle puissant. Il y a
de 6 à 7 litres de sang
dans le corps et le
cœur les propulse
dans tous l'organisme
à travers
100 000 kilomètres de
vaisseaux sanguins.*

▼ *Chaque poumon
est composé de
centaines de petits
sacs à air, les alvéoles.
Chaque alvéole est
entourée d'un réseau
de vaisseaux
sanguins. Le gaz
carbonique passe du
sang dans l'alvéole et
l'oxygène passe de
l'alvéole dans le sang.*

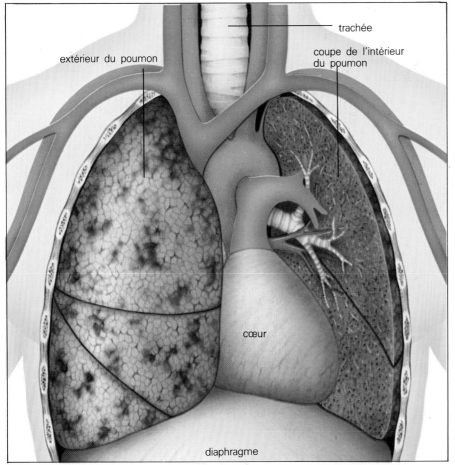

trachée

extérieur du poumon

coupe de l'intérieur
du poumon

cœur

diaphragme

entrée de l'air   sortie de gaz
carbonique

sang veineux
venant du cœur

sang artériel
allant vers
le cœur

◄ *Le battement du
cœur commence dans
la cavité du haut du
côté droit et se
propage au reste du
cœur. Les valvules sont
des barrières qui
empêchent le sang de
revenir en arrière. Le
sang rouge et le sang
noir ne se mélangent*
*jamais dans un cœur en
bon état.*

▲ *Quand on respire,
l'air chargé d'oxygène
descend dans les
bronches. L'air
contenant du gaz
carbonique est rejetée
avec l'air qu'on expire.*

► *Les artères et les
veines communiquent
par de minuscules
vaisseaux, les
capillaires. Ce dessin
montre comment le
sang oxygéné rouge
termine son voyage en
devenant du sang noir
désoxygéné qui
remonte vers le cœur.*

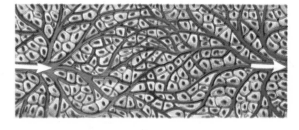

Le sang et ses fonctions

Dans le langage scientifique, le sang est un tissu, tout comme les os. En effet, le sang est un groupement de cellules particulières. Il circule sans arrêt dans tout le corps mais, comme les os, il renferme plusieurs types de cellules.

Un adulte possède en moyenne 4,5 à 7 litres de sang toujours en mouvement. 55 % du sang se compose d'un liquide incolore, le plasma ; le reste est fait de cellules ou *globules*. Les globules rouges donnent au sang sa couleur et renferment de l'*hémoglobine*, substance qui fixe l'oxygène dans le sang. Les globules blancs sont incolores.

Le système de transport

Le sang est le principal système de transport de l'organisme. Il distribue entre autres des messages chimiques et défend le corps contre les maladies. Mis en mouvement par le cœur, le sang commence son circuit par les poumons. Là il se ravitaille en *oxygène*, le gaz dont toutes les cellules ont besoin pour vivre. En circulant, il échange l'oxygène contre le *gaz carbonique* contenu dans les cellules. Le gaz carbonique est un gaz toxique fabriqué par les cellules quand elles changent les aliments en énergie. Lorsque le sang retourne dans les poumons, il s'en débarrasse et prend une nouvelle ration d'oxygène. Par la respiration, on absorbe l'oxygène et on élimine le gaz carbonique.

En passant dans les intestins, le sang se charge d'eau et de substances nutritives pour les porter aux cellules. En traversant les glandes, il recueille des *hormones*, produits qui déclenchent toutes sortes d'activités dans les autres parties du corps.

Le système de défense

Le deuxième rôle du sang est de lutter contre les infections en détruisant les virus et les microbes. Les globules blancs du sang entourent les substances nuisibles et les détruisent. Voilà pourquoi on voit se former du pus dans une blessure infectée :

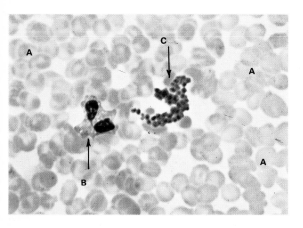

▲ Voici un cliché d'une goutte de sang grossie 600 fois. Les différences de couleur ne sont pas très nettes. les globules rouges (A) sont beaucoup plus nombreux que les globules blancs (B). Les plaquettes (C) sont toutes petites et assemblées dans un petit groupe.

▼ Les globules rouges sont des cellules plates et concaves. Leur forme facilite l'absorption de l'oxygène quand ils se déplacent. Chaque globule vit environ 4 mois et fait 50 000 fois le tour du corps.

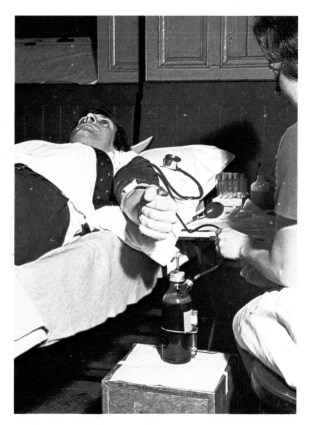

◄ Quelquefois, pour soigner un malade ou un blessé, on lui transfuse le sang de quelqu'un d'autre. Le sang est d'abord analysé. Il faut être sûr que le sang du donneur peut se mélanger avec celui du receveur sans poser de problème. Donner son sang est une manière de rendre service qui n'est ni difficile ni douloureuse.

▼ La plupart des cellules sanguines sont fabriquées par la moelle des os. On pense qu'elles viennent toutes d'une seule cellule qui se divise par la suite.

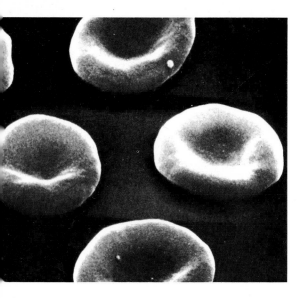

ce sont les déchets visibles de la bataille livrée par le sang. Le *pus* se compose de germes tués par les globules blancs, de plasma sanguin liquide et de globules blancs. En cas d'infection, les globules blancs se multiplient à toute vitesse pour défendre l'organisme.

Les *plaquettes* sont les plus petites cellules du sang. Si le sang coule par accident, elles se précipitent vers la blessure et libèrent une substance qui provoque la formation d'une sorte de filet pour retenir les globules rouges. Le sang s'épaissit et un caillot arrête l'écoulement.

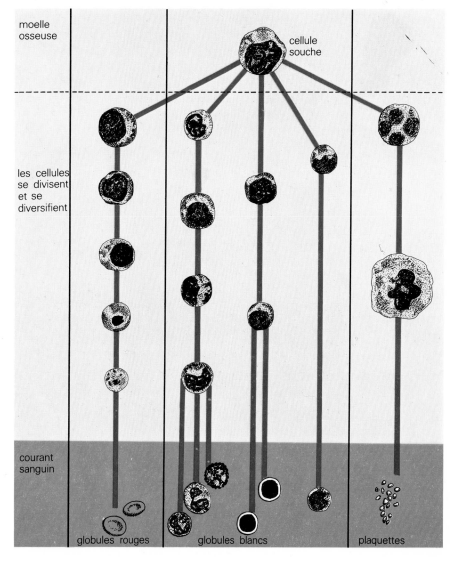

moelle osseuse

cellule souche

les cellules se divisent et se diversifient

courant sanguin

globules rouges   globules blancs   plaquettes

Le système lymphatique et son rôle

Nous savons que le sang est essentiel à la vie mais le corps contient un autre fluide important, la *lymphe*. C'est un liquide sans couleur qui baigne et nourrit les cellules. Il remplit les espaces entre les groupes de tissus. Il se compose d'eau, de globules blancs, de nourriture digérée et de déchets.

Les *vaisseaux capillaires* sont les plus petits des vaisseaux sanguins. Leur paroi est si fine que les liquides la traversent facilement. C'est de cette manière que les cellules absorbent leur nourriture.

Quelquefois il reste une partie des substances nutritives entre les tissus. Le rôle de la lymphe est de les emporter pour éviter qu'elles ne deviennent nuisibles. La lymphe circule dans tout l'organisme par un système de vaisseaux particulier. Ces vaisseaux contiennent des valvules qui font couler la lymphe dans une seule direction.

La lymphe n'est pas mise en mouvement par une pompe, comme le sang. Elle se déplace quand les muscles travaillent. Si l'on reste longtemps immobile, on remarque que les chevilles enflent et blanchissent. C'est parce que la lymphe s'y accumule en attendant d'être poussée par les muscles.

Les amygdales — glandes lymphatiques

En parcourant l'organisme, la lymphe traverse un grand nombre de structures spongieuses, les *ganglions lymphatiques*.

Ce sont des filtres qui retiennent les germes et les déchets que la lymphe a collectés. Le corps contient un grand nombre de ganglions dont l'importance est capitale pour la santé. Ils se trouvent par groupes aux aisselles, au cou et à l'intérieur des cuisses, dans l'aine. D'autres forment des chaînes le long du dos. Enfin il y a les amygdales, les plus connues, et les mieux placées pour capturer les germes. Comme tous les ganglions, les amygdales produisent des *lymphocytes*, cellules spécialisées dans la lutte contre les infections, et aussi des anticorps, substances qui procurent l'immunité.

Lorsque les amygdales s'enflamment, elles deviennent douloureuses et ne font plus leur travail de défense. Si le médecin décide de les enlever, d'autres ganglions travailleront à leur place.

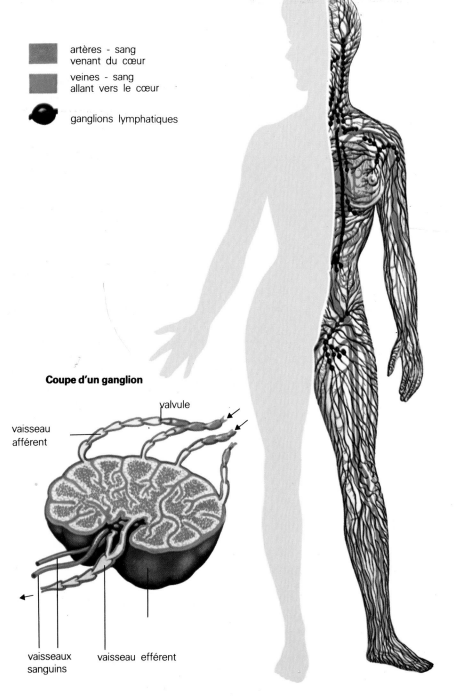

artères - sang venant du cœur

veines - sang allant vers le cœur

ganglions lymphatiques

Coupe d'un ganglion

valvule

vaisseau afférent

vaisseaux sanguins

vaisseau efférent

◄ *Pour comprendre comment tous les fluides circulent dans le corps, il faut imaginer une carte routière très détaillée. Le sang fait le tour de toutes les cellules et se purifie en repassant par le cœur et les poumons. La lymphe se purifie en traversant les ganglions qui sont des filtres. Le dessin de gauche montre la façon dont fonctionne le ganglion. Dans les vaisseaux lymphatiques, des valves empêchent la lymphe de revenir en arrière et la font circuler dans une seule direction.*

► Une coupe de la tête montre trois groupes d'amygdales : palatines, pharyngiennes et adénoïdes. Toutes font partie du système lymphatique et servent à lutter contre les infections.

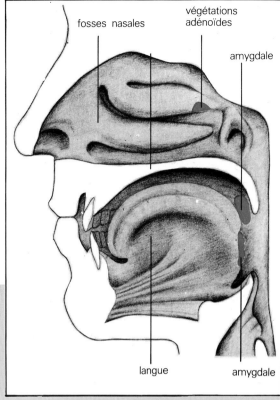

fosses nasales

végétations adénoïdes

amygdale

langue

amygdale

► L'ablation des amygdales est une opération bénigne. Le chirurgien atteint le fond de la gorge avec un instrument, l'amygdalotome, qui coupe l'amygdale et la retient pour la sortir de la bouche.

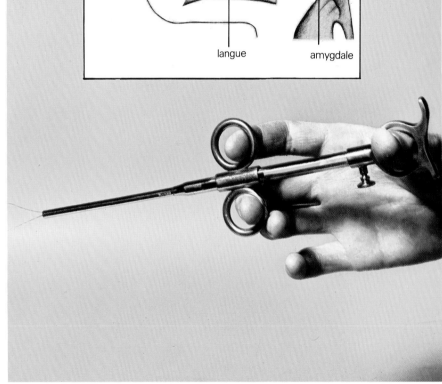

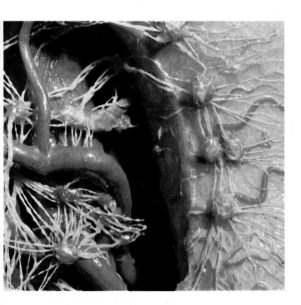

◄ Un modelage en matière plastique représentant une partie du foie (à gauche) et de l'estomac (à droite) avec tous les vaisseaux sanguins et lymphatiques et la chaîne de ganglions. Les vaisseaux sanguins sont rouges, les lymphatiques jaune clair. Les ganglions ressemblent à des petits pois.

23

Le système digestif

▶ *La digestion des aliments commence dans la bouche. La salive sécrétée par les glandes salivaires contient des substances qui commence à diviser la nourriture en éléments qui peuvent être absorbés par l'organisme. L'estomac et l'intestin poursuivent ce travail.*

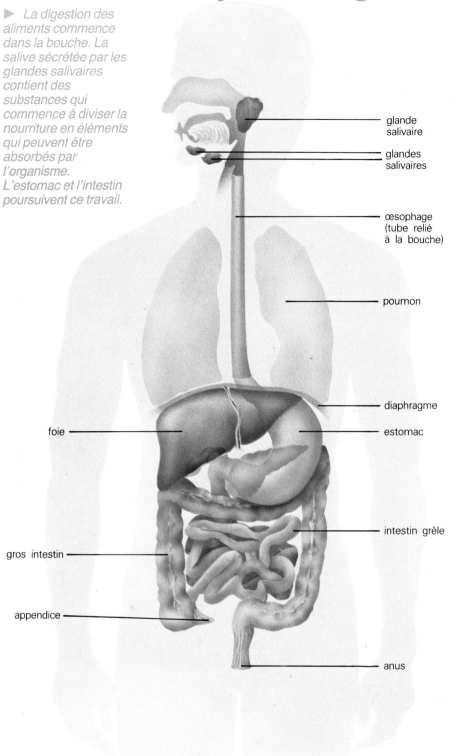

glande salivaire

glandes salivaires

œsophage (tube relié à la bouche)

poumon

diaphragme

foie

estomac

intestin grêle

gros intestin

appendice

anus

l'anus. Les aliments descendent le long de ce tube et sont digérés : ils se transforment pour que les cellules de l'organisme puissent les utiliser.

L'estomac

L'estomac, partie la mieux connue du tube digestif, est un sac situé juste au-dessous du diaphragme. Il est tapissé d'une couche de cellules spéciales. En vingt-quatre heures, elles déversent dans l'estomac près de trois litres de liquide acide et d'autres sucs qui attaquent les aliments. Certaines de ces cellules produisent aussi un liquide visqueux nommé mucus, qui protège la paroi de l'estomac de l'attaque des sucs digestifs.

Les muscles de l'estomac se contractent et se relâchent environ trois fois par minute. Ce mouvement brasse doucement les aliments avec le suc digestif jusqu'à ce qu'ils deviennent liquides. Les aliments ne sont pas complètement digérés par l'estomac. Suivant le genre de nourriture, ils descendent souvent très vite dans l'intestin. Un mélange de plusieurs sortes d'aliments, par exemple pommes de terre, légumes verts et viande, met à peu près deux heures à sortir complètement de l'estomac.

L'intestin

La nourriture poursuit sa transformation tout au long de son trajet dans l'intestin. L'eau, puis les substances nutritives utiles sont décomposées par des sucs spéciaux avant d'être absorbées par l'organisme. Ce qui demeure inutile pour le corps part dans le gros intestin pour être évacué.

L'appendice

Au début du gros intestin, il y a un mystérieux petit organe, l'appendice. On ne sait pas très bien à quoi il sert. Les uns pensent que c'est un élément qui a perdu son utilité au cours de l'évolution parce que l'alimentation n'est plus la même qu'il y a des milliers d'années. D'autres croient qu'il joue un rôle dans la lutte contre les infections.

Ce qu'on sait, c'est qu'il risque de s'enflammer et de causer des douleurs intolérables du côté droit entre la hanche et

On a tendance à dire « j'ai mal au ventre » dès qu'on ressent une douleur quelque part au milieu du corps. Mais le ventre renferme plusieurs organes. Peut-être est-ce votre estomac qui vous tourmente, ou une autre partie de ce long tube, qui commence à la bouche, traverse le corps de haut en bas et se termine à le nombril. Le malade perd l'appétit et souffre de nausées. Dans ce cas-là, il faut de toute urgence aller à l'hôpital ou l'appendice sera aussitôt enlevé.

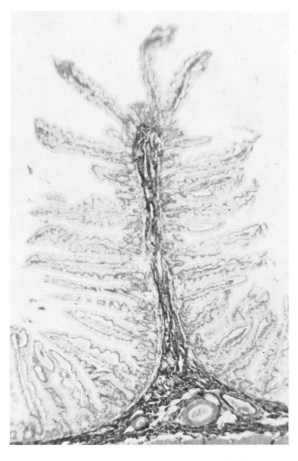

▲ *Dans les parois de l'intestin, il y a des milliers de petites structures saillantes, les villosités. En voici une, grossie 50 fois au microscope. Les cellules sont bien apparentes.*

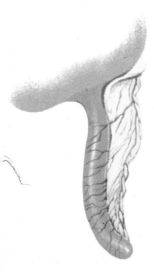

◄ *Quand un appendice s'enflamme comme celui-ci, il risque d'éclater et d'infecter tout l'organisme. S'il n'est pas enlevé d'urgence, la mort survient rapidement.*

Le foie, les reins et la rate

Bien des organes sont constamment au travail à l'intérieur du corps sans que nous en ayons conscience. Le plus grand de tous, le foie, se tient bien tranquille du côté droit juste sous les côtes. Il ne bat pas, ne bouge pas, mais il accomplit une somme de travail incalculable. Tant qu'il se porte bien on est loin de s'en douter.

Le foie traite les substances chimiques produites par la digestion. Les unes sont mises en réserve jusqu'à ce qu'on en ait besoin. D'autres sont transformées par le foie lui-même pour être utilisées immédiatement. Quelquefois les aliments contiennent de petites quantités de poisons nommés toxines que le foie rend inoffensives. Il se charge aussi de détruire les vieux globules rouges dont il extrait de fer, utile à la création de nouvelles cellules. Pour faire face à tant de travail, le foie reçoit une double ration de sang.

La véritable spécialité du foie est de fabriquer un liquide amer, la bile, qui est mise en réserve dans un petit sac, la vésicule biliaire. De là, la bile s'écoule par un canal dans l'intestin où elle aide à changer les graisses en substances utilisables. Il arrive parfois que le canal se bouche et qu'il faille enlever la vésicule biliaire ; on peut très bien vivre sans elle, à condition de consommer moins de matière grasse. Par contre, on ne peut pas vivre sans foie.

Les reins

Situés au niveau de la taille, les reins sont entourés par une épaisse couche de graisse. De même que les poumons débarrassent le sang du gaz carbonique et lui fournissent de l'oxygène, de même les reins éliminent les substances nuisibles du sang et régularisent son contenu en eau. Les reins changent en urine les liquides dont le corps n'a plus besoin. Avec l'urine s'en vont les autres résidus du sang que le rein a filtrés, et qui se rassemblent goutte à goutte dans la vessie. Quand cette poche est pleine, elle nous fait savoir qu'il faut la vider.

Lorsqu'un rein est en mauvais état, le second rein peut suffire à purifier le sang. Mais si les deux reins sont atteints, il faut avoir recours à une machine qui filtre le

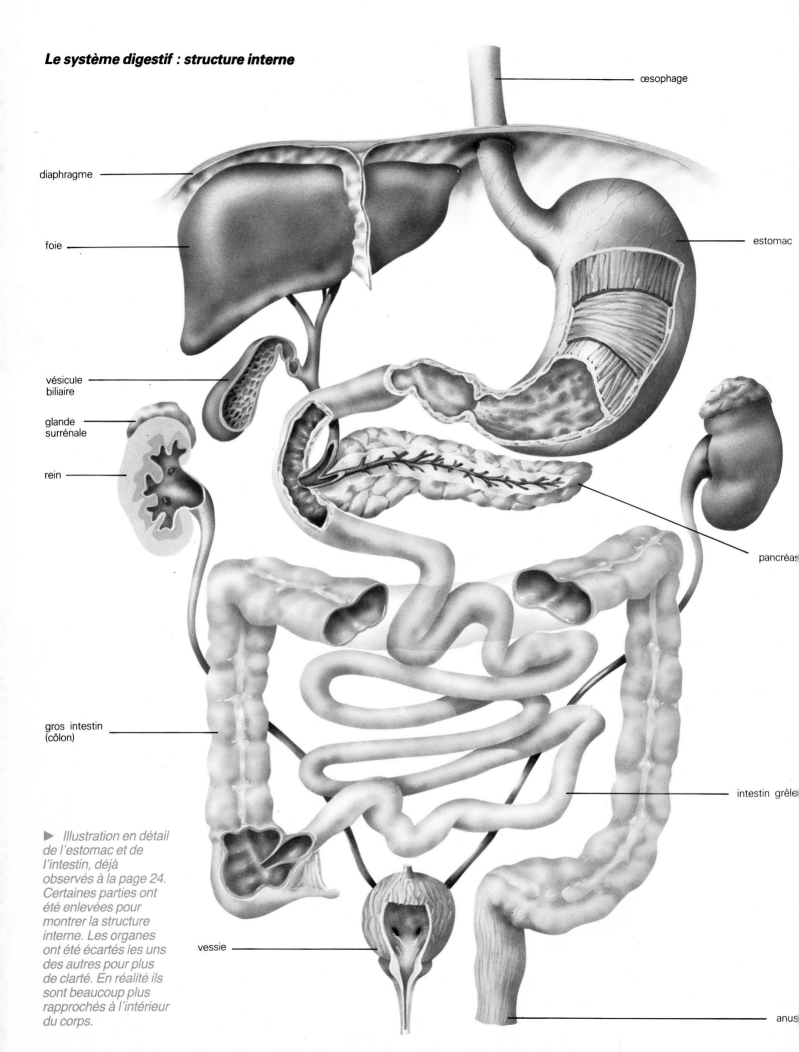

Le système digestif : structure interne

diaphragme

foie

vésicule
biliaire

glande
surrénale

rein

gros intestin
(côlon)

œsophage

estomac

pancréas

intestin grêle

vessie

anus

▶ Illustration en détail
de l'estomac et de
l'intestin, déjà
observés à la page 24.
Certaines parties ont
été enlevées pour
montrer la structure
interne. Les organes
ont été écartés les uns
des autres pour plus
de clarté. En réalité ils
sont beaucoup plus
rapprochés à l'intérieur
du corps.

sang, à moins que l'on puisse greffer sur le malade le rein de quelqu'un d'autre.

La rate

La rate est un petit organe situé tout contre le foie et l'estomac. En cas d'urgence, la rate produit des globules blancs pour lutter contre l'infection.

Elle garde également une réserve de sang qu'elle peut fournir à l'organisme sur demande, en cas d'urgence. Comme le foie, la rate détruit les globules rouges hors d'usage. Elle fabrique des substances qu'on nomme *anticorps*, destinées à défendre l'organisme.

Lorsque la rate cesse de fonctionner, d'autres organes prennent le relais.

▼ *Dessin représentant une portion de l'intérieur du foie. On distingue les artères (en rouge) et les veines (en bleu). Les canaux biliaires* *sont de petits tubes qui apportent la bile à la vésicule biliaire. Les cellules hépatiques sécrètent la bile et agissent sur les aliments.*

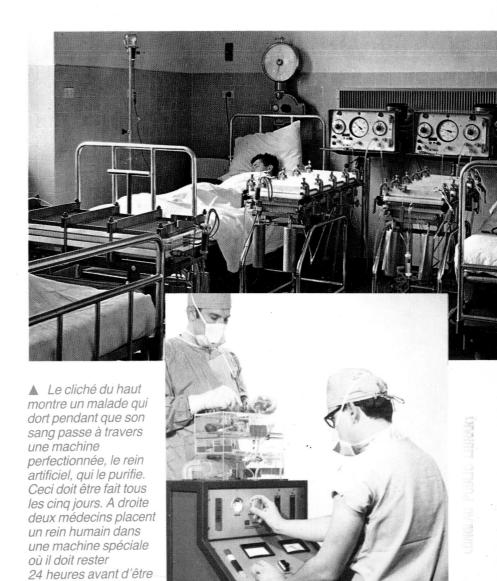

▲ *Le cliché du haut montre un malade qui dort pendant que son sang passe à travers une machine perfectionnée, le rein artificiel, qui le purifie. Ceci doit être fait tous les cinq jours. A droite deux médecins placent un rein humain dans une machine spéciale où il doit rester 24 heures avant d'être transplanté sur un malade.*

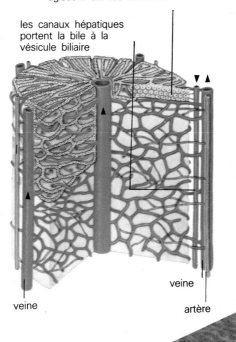

les cellules hépatiques sécrètent la bile et agissent sur les aliments

les canaux hépatiques portent la bile à la vésicule biliaire

veine

veine

artère

▶ *Ces écheveaux de laine sont en réalité les milliers de tubes collecteurs de l'intérieur du rein, très grossis. Ce sont les canaux où se rassemble l'urine avant d'aller dans la vessie.*

27

Les glandes : laboratoires de chimie

▶ *L'hypophyse ou glande pituitaire, située à la base du cerveau, sécrète l'hormone de la croissance. Voici ce qu'on appelle un géant hypophysaire, un homme dont la taille anormale est due à un excès d'hormone de croissance. A 21 ans il mesurait 2,30 mètres et il n'avait pas achevé de grandir.*

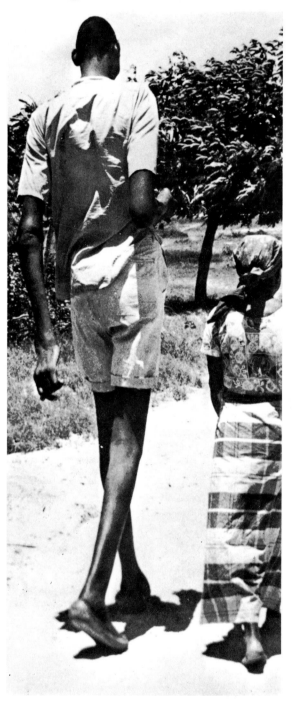

On comprend sans peine le rôle du cœur, des poumons, de l'estomac ou du sang. Mais certains importants éléments du corps sont encore mystérieux, comme les glandes. Les chercheurs multiplient les études à leur sujet. Et, plus on en apprend sur les glandes, plus on s'aperçoit que leur rôle est essentiel.

Dans toutes les parties du corps sont répartis des groupes de cellules qui fabriquent des substances chimiques. Le plus souvent elles forment une petite poche. Leurs sécrétions se rassemblent au fond. Certaines ont des conduits qui déversent leur produit dans le sang ; d'autres sont dépourvues de canal mais sont traversées par des vaisseaux sanguins qui recueillent au passage leur production, le plus souvent une hormone.

Le travail des glandes est parfois apparent. Les glandes sudoripares, placées juste sous la peau, produisent la sueur qui, en s'évaporant, rafraîchit la peau quand il fait chaud. Les larmes sont un liquide salé qui vient d'une glande située au coin des yeux. Les filles devenues grandes ont des seins qui ne sont rien d'autre que des glandes destinées à produire du lait quand elles auront un enfant.

L'hypophyse

Les petites glandes enfouies dans le corps sont d'un intérêt capital. Au beau milieu du cerveau se trouve l'*hypophyse* qui sécrète plusieurs homones importantes. Elle gouverne la pression du sang et le travail des reins ; elle verse dans le sang une hormone qui dirige la vitesse de croissance de toutes les parties du corps. Elle donne le signal de mettre un bébé au monde quand le moment est venu. Ses hormones sont des messagères qui déclenchent l'action de beaucoup d'autres glandes.

Quelques autres glandes

A la base du cou, devant la trachée, la thyroïde et les parathyroïdes sécrètent des hormones qui agissent sur notre énergie. La thyroïde règle la vitesse à laquelle les aliments se transforment en énergie. Les parathyroïdes ont une influence sur les muscles et les os.

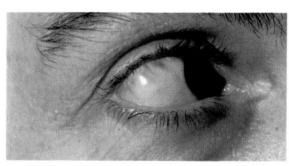

▲ *Quand le foie produit trop de bile, par exemple quand on a la jaunisse, le blanc des yeux devient jaune comme sur cette photo. Cette coloration est due à un dépôt de bilirubine (pigment biliaire).*

Les glandes surrénales, au sommet des reins, secrètent *l'adrénaline* qui se répand dans le sang pour augmenter l'énergie en cas de danger ou d'effort.

Immédiatement sous l'estomac se trouve le pancréas, producteur de substances et d'hormones qui aident la digestion. L'une d'elles est l'insuline, responsable de l'utilisation du sucre.

Quand l'insuline est insuffisante, le sucre passe dans le sang ; cette maladie est le diabète.

Les glandes sexuelles

Les glandes qu'on connaît le mieux sont les glandes sexuelles. Quand une fille devient grande, ses ovaires sécrètent des hormones qui influent sur la forme de son corps. Elle devient capable d'avoir des enfants. Chez les garçons, les testicules produisent aussi des hormones qui changent son aspect physique. Il voit pousser des poils sur son visage et son corps. Il peut produire la semence nécessaire pour concevoir un enfant.

Les différentes glandes endocrines chez l'homme et chez la femme

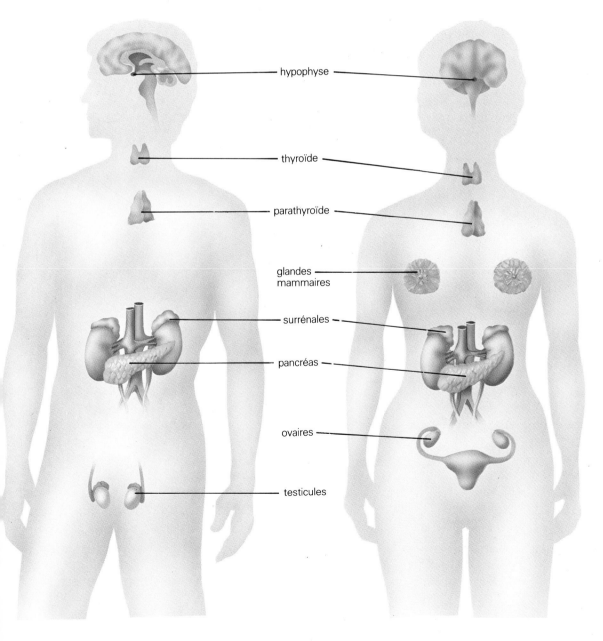

hypophyse

thyroïde

parathyroïde

glandes mammaires

surrénales

pancréas

ovaires

testicules

◄ *Ces glandes de première importance sont dites endocrines parce que leurs sécrétions passent directement dans le sang sans l'intermédiaire d'un canal. La circulation sanguine fait parvenir rapidement leurs hormones aux organes et aux cellules.*

Les muscles et leur travail

▶ Ci-contre un tableau des principaux muscles volontaires qu'on nomme aussi muscles squelettiques parce qu'ils s'attachent aux os pour les faire bouger. Les muscles constituent près de la moitié du poids du corps. Il est intéressant de comparer ce dessin avec celui de la page 10 que Vésale a exécuté il y a plusieurs siècles. Notez bien que les muscles portent encore aujourd'hui des noms qui leur ont été donnés quand tout le monde scientifique parlait latin.

▼ Les muscles striés ou volontaires peuvent tirer mais non pousser. Il s'ensuit qu'ils travaillent toujours par paires. Quand l'un se contracte, l'autre se relâche et réciproquement. Ce dessin montre comment les muscles longs de la cuisse fonctionnent quand la jambe se plie et s'étend.

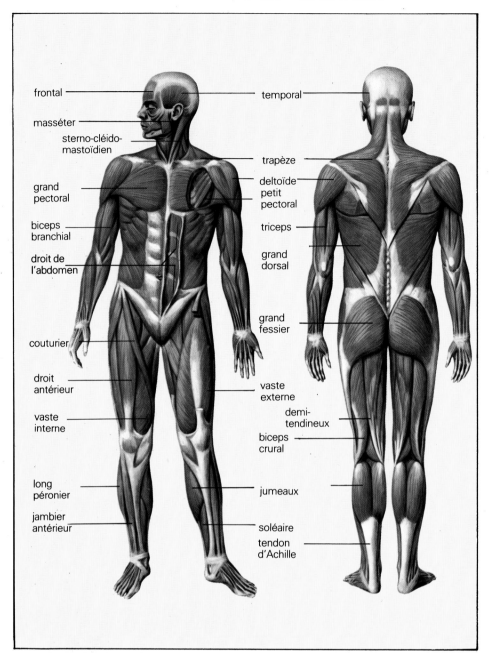

frontal — temporal
masséter
sterno-cléido-mastoïdien
grand pectoral
biceps branchial
droit de l'abdomen
couturier
droit antérieur
vaste interne
long péronier
jambier antérieur

trapèze
deltoïde
petit pectoral
triceps
grand dorsal
grand fessier
vaste externe
demi-tendineux
biceps crural
jumeaux
soléaire
tendon d'Achille

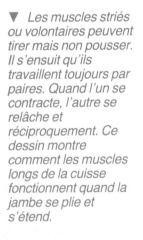

extension
contraction

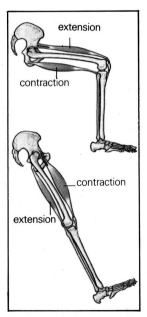

contraction
extension

Dès notre plus jeune âge nous savons faire marcher nos muscles. Si nous essayons de tirer et de pousser quelque chose de lourd, nous sentons quelque chose bouger dans le bras, gonfler sous la peau : ce sont des muscles qui se contractent. Après avoir couru ou joué trop longtemps, nous avons mal aux mollets : ce sont les muscles qui signalent qu'ils sont fatigués.

Différentes sortes de muscles

Il y a des centaines de muscles dans le corps, certains si petits qu'on ne les voit qu'au microscope. Chaque fois qu'on fait un mouvement, des muscles entrent en jeu. Certains mouvements sont voulus, par exemple lancer un ballon ou croquer une pomme. Les muscles qui les exécutent sont les muscles qu'on appelle volontaires.

D'autres mouvements se font tout seuls : l'estomac brasse les aliments, le diaphragme permet à l'air d'entrer dans les poumons et d'en sortir. Ces muscles sont dits involontaires : le cerveau les met en marche automatiquement.

Ce type de muscles est présent dans tous les conduits et vaisseaux du corps. La plupart des canaux sont entourés de deux couches de muscles, l'une qui se contracte pour les fermer, l'autre pour les ouvrir.

Le cœur est un muscle particulier qui travaille sans être soumis à la volonté et

1
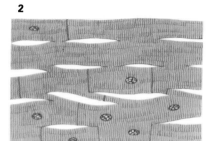

2

3

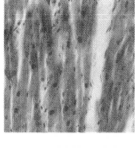

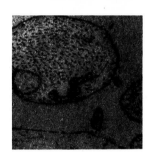

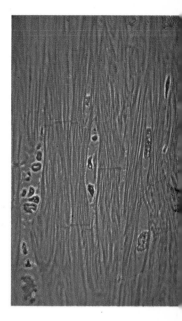

◀ *Dessins des différents types de cellules musculaires. A côté, photographies des mêmes tissus vus au microscope.*
1 *Muscle volontaire (ou strié) fait de cellules très longues formant des fibres résistantes.*
2 *Le muscle du cœur se compose de fibres plus courtes et plus grasses qui forment un réseau.*
3 *Les muscles lisses ou involontaires ont des cellules étroites et d'aspect uni. Les points sont les noyaux des cellules.*

▲ *Cette image du muscle cardiaque a été prise avec un microscope encore plus puissant que dans la figure 2. On distingue les noyaux et la texture striée du muscle.*

▼ *La gymnastique et l'entraînement développent la musculature, mais il est inutile d'avoir des muscles comme ceux là, à moins de vouloir concourir pour le titre de Monsieur Muscle.*

sans attendre de signal du cerveau, bien que le cerveau puisse quand même lui donner ordre de battre plus ou moins vite.

Différentes cellules musculaires

Les muscles sont faits de cellules très spéciales, faciles à reconnaître au microscope : ce sont des fibres pareilles à des cordons étroits, qui contiennent plusieurs noyaux, parfois des milliers.

Les cellules des muscles volontaires ont un aspect typique : elles sont striées de bandes transversales. Le muscle du cœur a des cellules plus épaisses que les muscles volontaires. Les muscles involontaires sont faits de cellules lisses non striées, plus étroites et plus petites.

Le travail des muscles striés

Les muscles grossissent quand on les fait travailler. La quantité de fibres ne change pas mais elles sont plus épaisses et plus solides. Après un exercice prolongé ou violent, les muscles deviennent douloureux et sans force. C'est ce qu'on appelle la « *fatigue* ». Cela se produit lorsque les cellules musculaires consomment trop vite les substances nutritives et l'oxygène qui,

en « brûlant » à l'intérieur de la cellule, produisent de l'eau et du gaz carbonique. L'organisme n'arrive plus à éliminer les déchets. Il faut un certain temps de repos pour que le muscle soit de nouveau prêt à fonctionner dans de bonnes conditions.

Le système nerveux

Le sang traverse le corps pour y porter des messages chimiques, les hormones. Mais ce n'est pas le seul réseau de communication de l'organisme. Il existe aussi une sorte d'ordinateur, qui émet et reçoit sans arrêt des messages sous forme de décharges électriques ou chimiques. C'est le système nerveux, commandé par le cerveau.

L'envoi des messages

Les cellules nerveuses, ou *neurones*, sont conçues pour recevoir et envoyer des messages. Autour du corps de la cellule se trouvent de petits prolongements, les dendrites, qui accueillent les messages. Un de ces prolongements plus long que les autres, *l'axone*, transmet les messages. Les axones des cellules motrices peuvent mesurer plus d'un mètre. Il y a par contre à l'intérieur du cerveau des neurones si petits qu'on ne les voit qu'au microscope électronique.

Les axones se groupent pour former des faisceaux pareils à des cordes blanches. Chaque axone est entouré de ce qu'on appelle la gaine de myéline, une substance qui joue le même rôle que l'isolant qui recouvre les fils électriques. Elle protège l'axone et fait passer le courant, ou *influx*

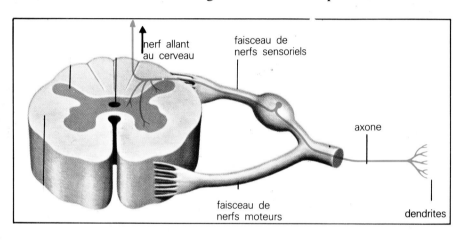

nerf allant au cerveau — faisceau de nerfs sensoriels — axone — faisceau de nerfs moteurs — dendrites

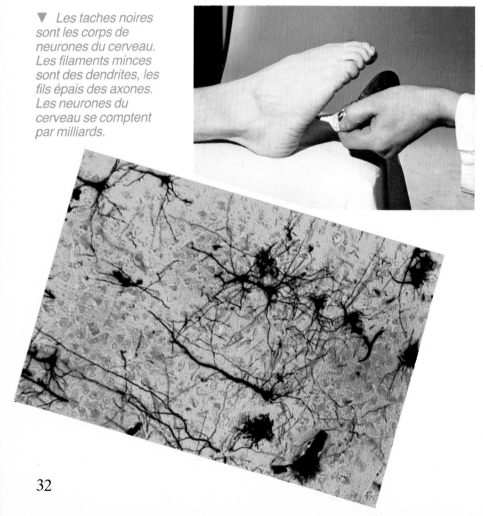

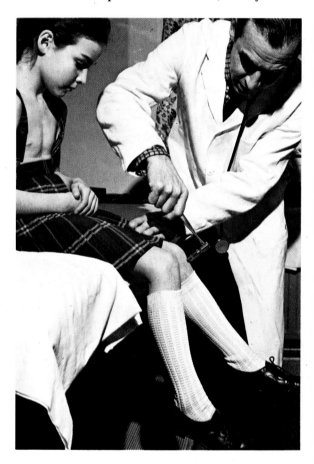

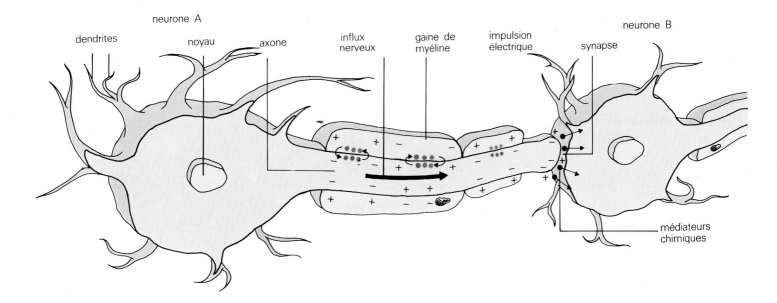

neurone A

dendrites   noyau   axone   influx nerveux   gaine de myéline   impulsion électrique   synapse   neurone B

médiateurs chimiques

nerveux plus rapidement. Entre un axone et la cellule suivante, il y a un intervalle nommé synapse. Le cerveau déclenche un message chimique pour franchir ce fossé, puis l'influx redevient électrique. Les messages ne circulent que dans une direction. C'est une autre suite de neurones qui retourne vers le cerveau. Ainsi, les signaux restent distincts.

Les ordres du cerveau mettent un certain temps pour arriver jusqu'aux extrémités du corps. Ainsi, entre le moment où les neurones des yeux envoient le message « danger » et celui où le cerveau donne aux jambes l'ordre de courir, il peut ne s'écouler qu'une fraction de seconde.

C'est ce qu'on appelle le temps de réaction, qui varie en durée selon les individus.

Comme cela se produit pour les muscles, il y a des nerfs qui fonctionnent sans que nous en ayons conscience, automatiquement.

Ce sont les nerfs qui envoient leur influx à la plupart des muscles involontaires des organes comme les poumons, l'estomac, l'intestin, la vessie. Certains neurones captent les messages des sens. Ce sont eux qui permettent de voir, d'entendre, de sentir, de goûter. Un autre groupe de nerfs travaille en accord avec les glandes. Il a une influence sur les sentiments et le caractère.

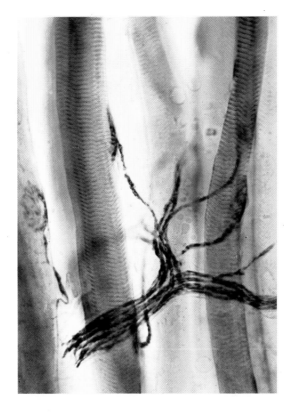

▲ Ce dessin permet de se faire une idée de la façon dont l'influx nerveux passe du neurone A au neurone B. L'impulsion électrique est convertie en message chimique dans la synapse, puis redevient électrique en arrivant dans le neurone suivant.

◄ Une vue très agrandie prise au microscope montre des axones s'attachant aux fibres musculaires.

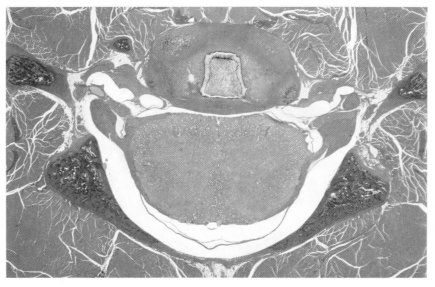

► Les os de l'épine dorsale (les vertèbres) protègent la moelle épinière. La grande surface au centre de l'image est la moelle épinière. La région plus foncée qui l'entoure est une vertèbre.

Le cerveau et son fonctionnement

Bien protégé par la solide boîte cranienne, le cerveau est l'organe le plus important de l'organisme. On peut être maintenu en vie un certain temps par des machines, même si les poumons ou le cœur cessent de fonctionner ; mais lorsque le cerveau ne marche plus, il n'y a rien à faire. C'est la mort.

Comment fonctionne le cerveau

Nuit et jour, les milliards de neurones du cerveau envoient et reçoivent des influx électriques. En outre ces neurones conservent, on ne sait trop comment, les informations et les souvenirs. Quand nous sommes éveillés, le cerveau tire ses informations des sens, notamment des yeux, et les enregistre. Beaucoup d'animaux ont des yeux qui voient plus loin et mieux que les nôtres, mais ils ne savent pas tirer parti comme l'homme de ce qu'ils apprennent par la vue. Leur cerveau ne contient pas de « fibres d'association ».

On nomme ainsi les liaisons nerveuses qui relient les différentes parties du cerveau. Ce sont elles qui permettent de saisir les liens entre les événements et de les comprendre. Il manque aussi au cerveau animal un centre du langage, ce centre qui nous donne la possibilité de nous exprimer

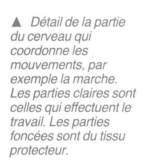

▲ Détail de la partie du cerveau qui coordonne les mouvements, par exemple la marche. Les parties claires sont celles qui effectuent le travail. Les parties foncées sont du tissu protecteur.

▶ Le dessinateur n'a représenté qu'une partie du cerveau pour mettre l'intérieur en évidence. Toutes les parties du cerveau sont reliées par une multitude de neurones. Les fibres nerveuses partent du bulbe rachidien pour se continuer dans la moelle épinière et de là dans tout l'organisme.

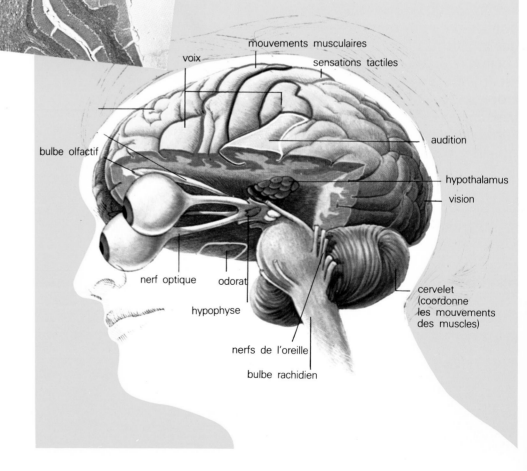

voix — mouvements musculaires — sensations tactiles — audition — hypothalamus — vision — cervelet (coordonne les mouvements des muscles) — bulbe olfactif — nerf optique — odorat — hypophyse — nerfs de l'oreille — bulbe rachidien

par des mots et de comprendre les autres.

Même pendant le sommeil, le cerveau travaille. Le *bulbe rachidien*, situé à la base du cerveau, maintient au ralenti des fonctions automatiques comme la respiration et la digestion. D'autres centres contrôlent le sens et la durée de nos rêves. En général, cependant, les signaux électriques du cerveau sont plus simples et plus lents quand on dort.

Comment est fait le cerveau

L'image que présente le cerveau humain est celle d'une masse gélatineuse plissée et divisée en deux, comme une noix. La couche extérieure, ou écorce cérébrale, contient tous les centres concernant les mouvements et les sensations. A l'intérieur se trouvent le *thalamus* et l'*hypothalamus*. Le premier est le centre relais pour les messages venant de l'intérieur du corps. Le second gouverne la faim, la soif, la sensation de chaud et de froid, et certaines émotions. Le bulbe olfactif reçoit les perceptions d'odeurs ; le nerf optique apporte les informations données par les yeux. Au plus profond du cerveau se trouve l'hypophyse.

Curieusement, quand on a la moitié droite du cerveau un peu plus développée que la gauche, on est gaucher. Si c'est l'hémisphère gauche qui est plus gros, on est droitier. En fait, tous les nerfs se croisent et changent de côté en arrivant à la base du cerveau. Pourquoi ? On n'en a pas encore trouvé la raison.

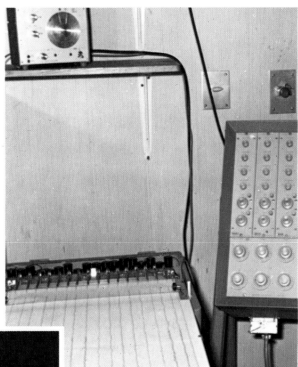

▲ Les fils fixés sur la tête de cette personne sont des électrodes destinés à capter des décharges électriques très faibles produites par les cellules du cerveau. Selon l'emplacement des fils, on peut savoir quelle partie du cerveau travaille.

◄ A gauche, la machine qui recueille les informations provenant du cerveau de la jeune fille. La courbe des différences de potentiel électrique s'inscrit automatiquement sur une feuille.

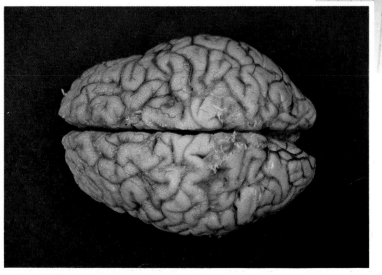

◄ Cliché du cerveau humain vu de dessus. On voit clairement les circonvolutions de la surface du cerveau.

La vue

Nous devons la connaissance du monde qui nous entoure en grande partie à nos yeux. Nous voyons les couleurs, les formes, les dimensions, la matière et les mouvements des objets ou des êtres. Nous reconnaissons les visages de nos proches et nous nous dirigeons d'un lieu à un autre. Même si l'ouïe, le toucher et le goût nous apprennent beaucoup, c'est la vue qui nous renseigne le mieux.

L'œil humain est une sorte d'appareil photographique logé dans une cavité du crâne qui le protège. Il fonctionne en captant les rayons lumineux qui se réfléchissent sur les objets placés devant lui. Sans lumière, la vue est impossible. Même dans une nuit noire, il reste un peu de lumière qui permet de distinguer vaguement les formes. La lumière pénètre dans l'œil par la pupille, un trou noir situé au centre.

A certains moments la pupille paraît plus grande qu'à d'autres. C'est parce que son ouverture se dilate pour laisser entrer davantage de lumière quand il fait sombre. Les yeux des animaux font de même. Regardez comme les yeux d'un chat ou d'un chien changent quand ils passent de l'ombre à la lumière.

En entrant dans l'œil, les rayons lumineux traversent le *cristallin*, une lentille transparente. Dans un œil normal, le cristallin focalise (concentre) les rayons sur *la rétine*, un écran de cellules spécialisées à l'arrière du globe oculaire.

Ces cellules, nommées cônes et bâtonnets à cause de leur forme, font le tri des éléments qui composent une image, couleur, taille et mouvement, et transforment ces indications en décharges électriques qui circulent par le nerf optique jusqu'au cerveau. Le cerveau les interprète.

Pour aider nos yeux

Il arrive que l'image formée sur la rétine par le cristallin ne soit pas nette, et que le foyer de cette image soit mal centré. Chez le myope le foyer est devant la rétine, chez l'hypermétrope il est derrière. Ces défauts se corrigent en plaçant devant l'œil une lentille qui remet le foyer de l'image sur la rétine. Outre les lunettes, il existe des lentilles de contact en matière platique qu'on glisse sous la paupière. Quand ces lentilles sont bien adaptées, on oublie leur présence, mais il ne faut pas négliger de les ôter la nuit et de les manipuler avec précaution.

L'organisme a bien des moyens de protéger les yeux : les paupières se ferment automatiquement dès qu'un objet s'approche trop près ou qu'un courant d'air les frôle. Nous clignons des yeux. Et dès qu'un corps étranger s'introduit, les larmes se mettent à couler. Les cils jouent un rôle important : ils arrêtent toutes les petites parcelles de poussière et de produits irritants.

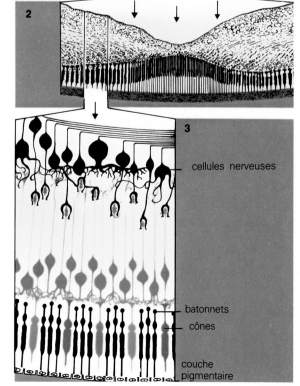

cornée
iris
pupille
cristallin
sclérotique
rétine

cellules nerveuses
batonnets
cônes
couche pigmentaire

◀ Trois dessins représentant l'intérieur de l'œil.
1) Vue d'ensemble : la cornée protège la pupille, ouverture par où pénètre la lumière. L'iris est la partie colorée de l'œil ; ses muscles peuvent agrandir ou rétrécir l'orifice. Le cristallin est une lentille qui fait converger les rayons lumineux sur l'écran de la rétine. Les points indiquent la répartition des cônes (rouges) et des bâtonnets (noirs). La sclérotique entoure le globe oculaire.
2) La partie sensible de la rétine.
3) Cellules vues en détail.

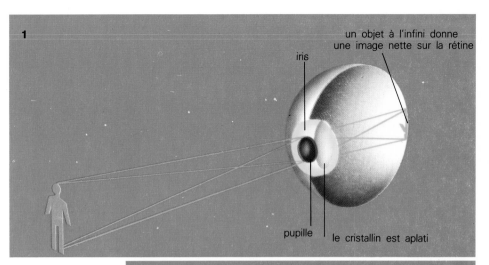

1

un objet à l'infini donne
une image nette sur la rétine

iris

pupille   le cristallin est aplati

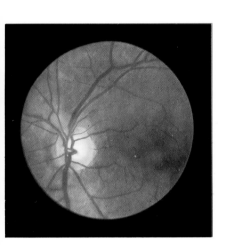

◄ *Si l'on examine le fond de l'œil avec un ophtalmoscope, la rétine apparaît comme un disque rouge. La tache jaune est le point aveugle où les nerfs se rassemblent pour former le nerf optique.*

▶ *Voici comment l'œil accommode : la courbure du cristallin se modifie sous l'action du muscle ciliaire. L'image d'un objet situé à l'infini se forme sur la rétine (1). (L'image est à l'envers mais le cerveau la remet à l'endroit.) Quand l'objet se rapproche l'image se forme en arrière de l'œil et elle paraît floue (2). En bombant le cristallin on obtient une image nette d'un objet rapproché (3) mais floue d'un objet lointain (4).*

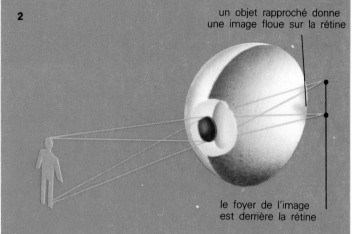

2

un objet rapproché donne
une image floue sur la rétine

le foyer de l'image
est derrière la rétine

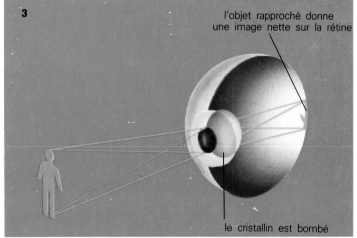

3

l'objet rapproché donne
une image nette sur la rétine

le cristallin est bombé

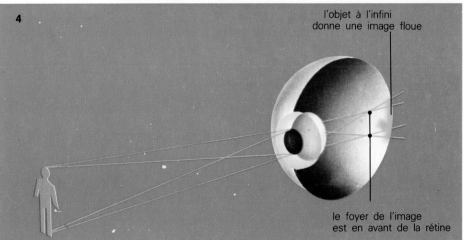

4

l'objet à l'infini
donne une image floue

le foyer de l'image
est en avant de la rétine

Comment nous entendons

L'oreille sert à entendre, bien sûr, mais ne s'arrête pas au pavillon charnu qui orne le côté de la tête. Cette partie visible de l'oreille n'est que le point de départ ; elle sert à concentrer les vibrations de l'air et à les diriger par le conduit auditif externe jusqu'à l'oreille moyenne. Ce conduit est fermé par une fine membrane, le *tympan*, qui vibre sous l'effet des sons, plus ou moins vite et plus ou moins fort suivant la nature des ondes sonores. La vibration du tympan se transmet à une chaîne de petits osselets délicats dont le dernier est rattaché à la fenêtre ovale. Derrière cette fenêtre se trouve l'oreille interne. Les vibrations des osselets et des membranes y sont transformées en impulsions électriques.

Cet influx nerveux passera par le nerf auditif pour gagner le cerveau où il sera décodé.

Le sens de l'équilibre

C'est grâce à l'oreille que nous avons le sens de l'équilibre. A l'intérieur de l'oreille interne, il y a des canaux semi-circulaires remplis de liquide et contenant une multitude de petits cils.

Dès qu'on remue un tant soit peu la tête, le liquide se déplace et communique le mouvement aux cils vibratiles, qui le transmettent au cerveau. Celui-ci ordonne aussitôt aux muscles de corriger la position pour maintenir l'équilibre.

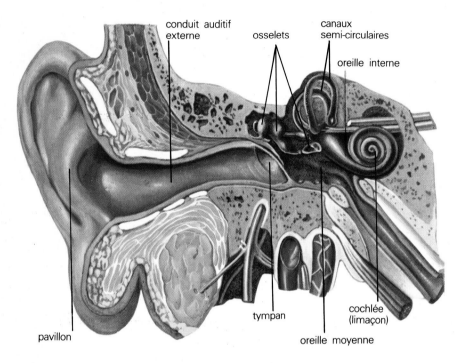

▲ Croquis de l'ensemble de l'oreille : externe, moyenne et interne. On voit comment le son chemine pour arriver jusqu'à l'intérieur de la tête. Remarquez comme les canaux semi-circulaires et le limaçon sont près les uns des autres.

▶ Le limaçon, ou cochlée, de l'oreille interne est l'endroit où les cils de la membrane basilaire captent les ondes sonores. Voici une coupe du centre du limaçon vue au microscope montrant les tubes ouverts.

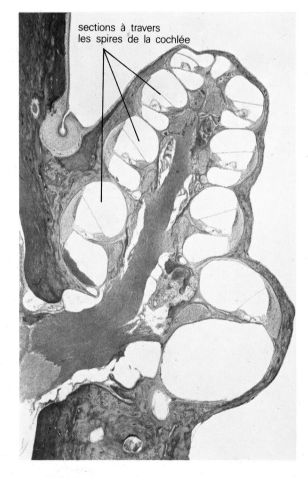

sections à travers les spires de la cochlée

▼ Un test simple et rapide : au moyen d'un diapason, le médecin peut savoir si son patient est sourd ou non.

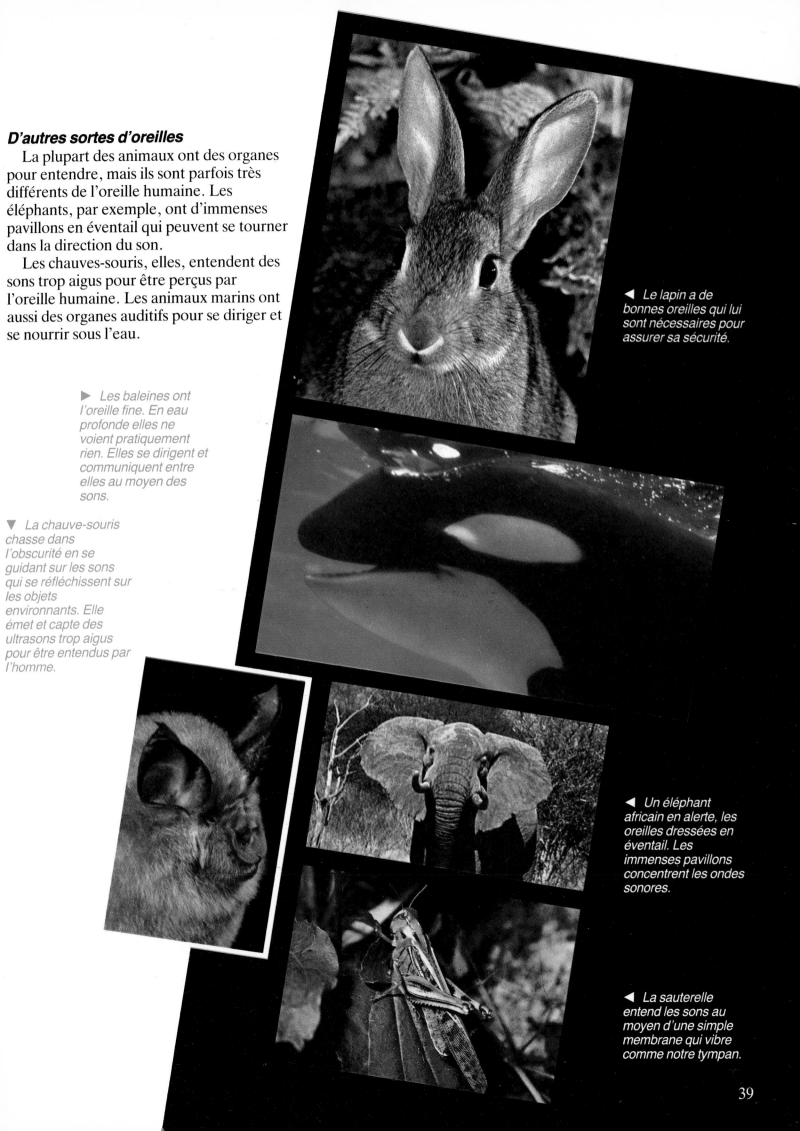

D'autres sortes d'oreilles

La plupart des animaux ont des organes pour entendre, mais ils sont parfois très différents de l'oreille humaine. Les éléphants, par exemple, ont d'immenses pavillons en éventail qui peuvent se tourner dans la direction du son.

Les chauves-souris, elles, entendent des sons trop aigus pour être perçus par l'oreille humaine. Les animaux marins ont aussi des organes auditifs pour se diriger et se nourrir sous l'eau.

► *Les baleines ont l'oreille fine. En eau profonde elles ne voient pratiquement rien. Elles se dirigent et communiquent entre elles au moyen des sons.*

▼ *La chauve-souris chasse dans l'obscurité en se guidant sur les sons qui se réfléchissent sur les objets environnants. Elle émet et capte des ultrasons trop aigus pour être entendus par l'homme.*

◄ *Le lapin a de bonnes oreilles qui lui sont nécessaires pour assurer sa sécurité.*

◄ *Un éléphant africain en alerte, les oreilles dressées en éventail. Les immenses pavillons concentrent les ondes sonores.*

◄ *La sauterelle entend les sons au moyen d'une simple membrane qui vibre comme notre tympan.*

39

La parole

L'air qui circule dans le nez, la bouche et les poumons a pour but, nous l'avons vu, de fournir de l'oxygène aux cellules et d'en éliminer le gaz carbonique. En même temps, en faisant jouer les dents, les lèvres et certains tissus de la gorge, l'air est à la source de la parole. Quand on parle, l'air provenant des poumons passe à travers des membranes tendues au fond de la gorge, les *cordes vocales*. Celles-ci se trouvent dans le larynx, juste derrière le cartilage qu'on nomme couramment « pomme d'Adam ». Les cordes vocales vibrent au passage de l'air, et produisent des sons.

Tout son est le résultat des vibrations de l'air, plus ou moins rapides et plus ou moins amples.

La nature du son dépend de la façon dont les cordes sont tendues, comme dans un instrument à cordes, violon ou guitare. Mais cela ne suffit pas pour produire la parole. Les parties creuses de la bouche et du nez jouent le même rôle que la caisse de résonnance d'un instrument de musique. Elles renforcent le son et lui donnent son timbre. Une voix d'enfant est plus aiguë et plus claire qu'une voix d'adulte, parce que ses cordes vocales sont plus fines et plus courtes et le volume de sa tête plus petit.

Pendant la croissance, le larynx se développe. Plus les cordes sont longues, plus la voix est grave. C'est ce qui fait que les voix d'homme sont généralement plus graves que celles des femmes.

Parole et langage

Les lèvres, la langue, le palais et les joues ont leur rôle dans la formation des sons articulés. La parole utilise des alternances de voyelles et de consonnes, assemblées entre elles. Les voyelles correspondent à des vibrations prolongées. Les consonnes, elles, ne sont audibles que si elles accompagnent une voyelle. Certaines langues africaines possèdent aussi une série de sons particuliers, produits par le claquement de la langue.

Les savants n'ont pas encore une idée très nette de la manière dont l'homme est arrivé à parler. Les petits imitent ce qu'ils entendent. On peut apprendre à des animaux très évolués comme le dauphin et le chimpanzé à comprendre certains signes et à les utiliser pour exprimer des notions simples. Des oiseaux comme les perroquets arrivent à répéter quelques sons. Mais aucun animal n'est capable de parler.

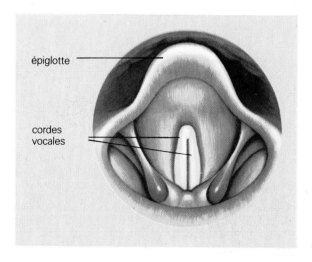

▶ *En regardant au fond de la gorge on voit exactement où se forme le son de la voix. Il vient de l'air qui vibre dans le cordes vocales. L'épiglotte, sorte de clapet en tissu* épais, se rabat à l'arrière de la gorge pour fermer la trachée artère quand on avale, de façon à empêcher les bouchées de se fourvoyer dans les bronches.

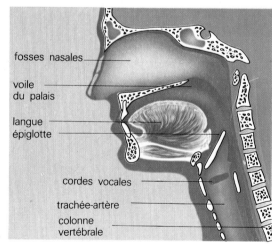

▲ *La tête comporte beaucoup de vide où le son a la place de se moduler et de résonner pour former une infinité de mots et de sons musicaux.*

fosses nasales
voile du palais
langue
épiglotte
cordes vocales
trachée-artère
colonne vertébrale

épiglotte
cordes vocales

◀ Des enfants atteints de surdité apprennent à s'exprimer par signes. Un enfant sourd est en même temps muet parce qu'on ne peut apprendre à parler qu'en imitant les sons qu'on entend. On peut apprendre à parler aux enfants sourds en leur faisant sentir avec les mains les vibrations que font les sons dans la gorge et les différentes façons dont l'air sort de leur bouche quand ils articulent.

▼ Les perroquets peuvent imiter la voix humaine mais ils ne peuvent pas vraiment « parler » parce que leur gosier est tout à fait différent du nôtre.

▲ Les dauphins semblent doués d'intelligence. Ils peuvent être dressés et on sait qu'ils ont un langage pour communiquer entre eux.

L'odorat et le goût

Le goût et l'odorat sont deux sens très proches l'un de l'autre. On se trompe d'ailleurs souvent sur l'origine des informations fournies par l'un ou par l'autre. Quand on a un rhume, tout ce qu'on mange paraît fade. On croit avoir perdu le sens du goût. En réalité, l'odeur des mets est un message qui parvient aussi vite au cerveau que leur goût si bien que la saveur d'un aliment est une combinaison des deux sensations.

Le nez

Le nez de l'homme se divise en deux conduits, les narines, qui se composent chacune de trois parties. Tout l'intérieur du nez est tapissé d'une couche épaisse de cellules, une *muqueuse*, qui sécrète un liquide visqueux, le mucus. Quand la muqueuse est irritée, elle produit trop de mucus. Le nez se bouche et devient douloureux. Il faut se moucher. La muqueuse du nez contient une infinité de vaisseaux sanguins qui ont pour fonction de réchauffer l'air qui va dans les poumons. Au moindre choc sur le nez, le sang coule. Tout en haut du nez la membrane contient des cellules terminées par des cils minuscules.

Les cils retiennent au passage des particules invisibles de substances qui flottent dans l'air, plus petites que les plus petites cellules. Ces particules sont présentes dans tout ce qui existe et certaines sont liées à certaines odeurs. Quand un cil capture une particule, il envoie aussitôt un message au cerveau.

La langue

Le goût est produit lui aussi par des cellules spéciales qui arrêtent au passage des particules, contenues dans les aliments et les boissons et non plus dans l'air.

La langue est couverte de près de 9 000 petits boutons, les papilles gustatives. Chaque partie de la langue est sensible à une sorte de saveur : salé, sucré, amer ou acide. Les saveurs se mélangent pour donner un goût dominant. Le café est amer, mais le paraît moins avec du sucre.

Il peut arriver que les sensations des papilles n'arrivent pas jusqu'au cerveau : les aliments trop chauds ou trop froids les empêchent de fonctionner. On n'a alors que la sensation de chaud ou de froid. Et, si on a longtemps le même goût dans la bouche, les papilles cessent de transmettre le message au cerveau.

▶ *Les papilles gustatives sont faites pour percevoir quatre types de saveur : amer, acide, sucré, salé. Tout ce que nous goûtons est une combinaison des quatre.*

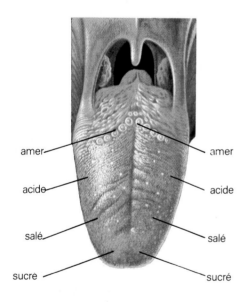

amer — — amer
acide — — acide
salé — — salé
sucre — — sucré

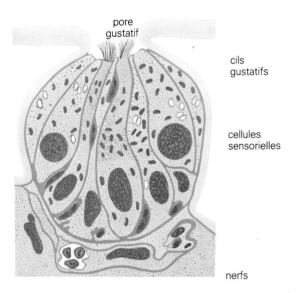

pore gustatif

cils gustatifs

cellules sensorielles

nerfs

▶ *Un dessin montrant l'intérieur d'une papille gustative. Du pore situé au sommet sortent des cils qui retiennent les particules de substances contenues dans les aliments. L'excitation passe dans les cellules sensorielles où des fibres nerveuses la font parvenir au cerveau.*

▲ *Voici comment se présente l'intérieur du nez vu au microscope électronique. Les cils qui tapissent la muqueuse recueillent les informations concernant les odeurs et les font passer dans des cellules sensorielles. Chacune d'elles est sensible à une seule odeur précise.*

▶ *Deux représentants d'une grande famille de producteurs de champagne. Dans la salle de dégustation attenante à la cave, ils goûtent les échantillons de vin de différentes années et de divers terroirs. Le renom de leur maison repose sur la finesse de leur goût et de leur odorat.*

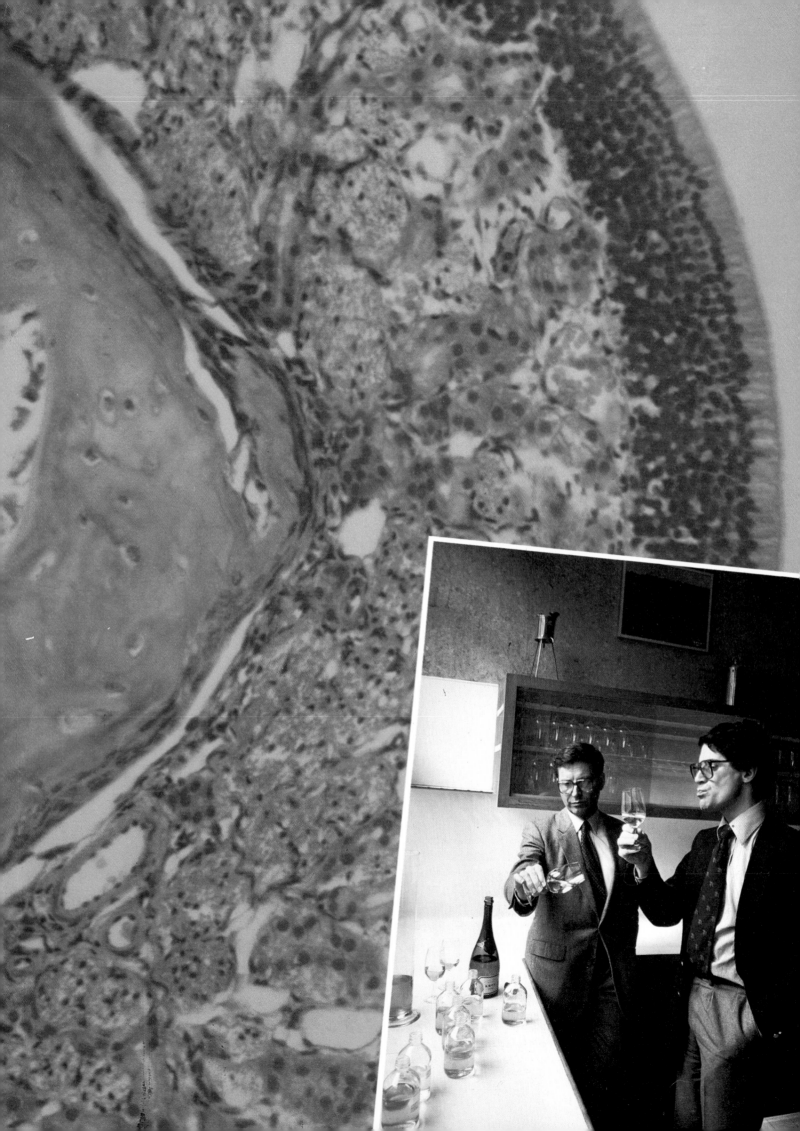

Le mouvement

On dit souvent que le corps humain est une merveilleuse machine. C'est en effet une machine composée d'une multitude de pièces mobiles dont certaines sont si petites qu'on ne les voit qu'au microscope. Chaque élément de cette machine est commandé par des muscles. Pour qu'un mouvement se produise, il faut que chaque muscle agisse au bon moment. Mais les muscles, exception faite du cœur, ne se mettent pas en marche tout seuls. Ils obéissent aux instructions données par les nerfs et les nerfs reçoivent leurs ordres du cerveau. Le cerveau prend ses décisions d'après les messages envoyés par les organes des sens : ouïe, vue, odorat, goût et toucher. Quand il dirige les muscles qui mettent en marche les activités dont nous n'avons pas conscience, comme la respiration, c'est qu'il a reçu des informations provenant d'autres parties du corps sous une autre forme.

On apprend à *coordonner*, autrement dit à faire marcher ensemble les sensations et les muscles, dès le plus jeune âge. Si un bébé voit un jouet de couleur vive, le message va de son œil à son cerveau. Le cerveau donne aux muscles des bras et de la main l'ordre de saisir l'objet. Au début, ses gestes sont maladroits mais à force de s'exercer il arrive à ses fins. De la même manière, l'enfant apprend à marcher.

▲ *Un bébé qui apprend à marcher a besoin d'être encouragé. Il lui faut du temps pour arriver à coordonner les informations fournies par ses yeux, qui lui indiquent la distance des objets, avec les mouvements des muscles des bras et des jambes. Bientôt il n'aura plus besoin de réfléchir et tout sera facile.*

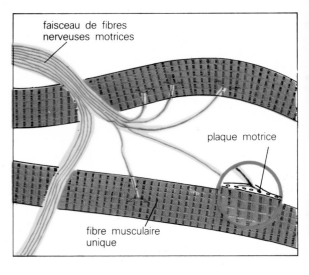

faisceau de fibres nerveuses motrices

plaque motrice

fibre musculaire unique

▲ *Les messages vont du cerveau aux fibres musculaires (brunes) en passant par les nerfs moteurs (jaunes) qui se fixent sur les plaques motrices. L'influx nerveux provoque la contraction de la fibre musculaire.*

▼ *Certains sont plus doués que d'autres pour la coordination des mouvements. Mais personne ne peut exécuter un numéro de jongleur comme celui-ci sans un long entraînement et une pratique continue de son art.*

► *Un sport comme le judo met en évidence la rapidité avec laquelle les ordres du cerveau arrivent jusqu'aux membres. La taille et la force du judoka ont moins d'importance que la coordination de ses mouvements et la vitesse de ses réactions.*

Chaque geste est une combinaison de dons naturels et d'apprentissage.

Les parties du corps et du cerveau qui entrent en jeu pour nous faire marcher, courir, manger ou jouer, sont si nombreuses que des défaillances peuvent se produire à un endroit ou à un autre de la machine. Quand un nerf de la colonne vertébrale est coupé, les jambes ne reçoivent plus d'ordre et ne marchent plus. Si les muscles du corps sont atteint par la maladie, ils ne répondent plus aux messages du cerveau. Certaines personnes, comme les vedettes du sport ou les danseurs, paraissent capables de courir plus vite, de sauter plus haut, de se mouvoir plus facilement que les autres.

En général, c'est parce qu'ils ont une bonne liaison naturelle entre le cerveau et les muscles, encore améliorée par l'exercice régulier.

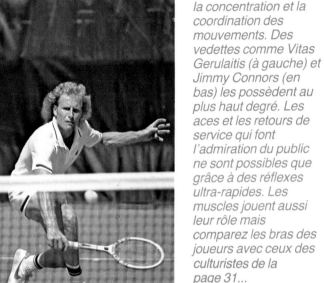

◀ *Le sport de compétition développe la concentration et la coordination des mouvements. Des vedettes comme Vitas Gerulaitis (à gauche) et Jimmy Connors (en bas) les possèdent au plus haut degré. Les aces et les retours de service qui font l'admiration du public ne sont possibles que grâce à des réflexes ultra-rapides. Les muscles jouent aussi leur rôle mais comparez les bras des joueurs avec ceux des culturistes de la page 31...*

La peau : l'enveloppe du corps

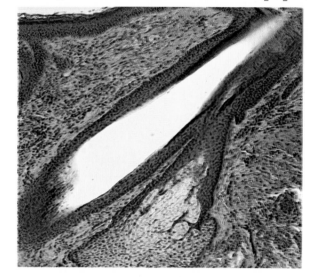

► *Une image grossie d'un canal de l'épiderme pénètrant dans le derme pour former un follicule pileux. Le poil pousse à partir du fond du bulbe. Une petite glande attachée au poil sécrète une matière grasse qui le protège.*

▼ *Ce dessin de la peau montre qu'elle se compose de deux parties très différentes : l'épiderme est constitué par une vingtaine de couches de cellules mortes aplaties ; de nouvelles cellules viennent constamment s'ajouter à la base de la pile et sont poussées lentement vers la surface à mesure que les plus vieilles tombent par petites écailles. Le derme contient des nerfs, des muscles, des canaux et les vaisseaux sanguins qui nourrissent la peau. Les canaux dirigent la sueur et le sébum (substance grasse) vers l'extérieur. Les poils émergent par les pores qui terminent les follicules pileux.*

La peau est une enveloppe merveilleuse qui protège notre corps. Par temps chaud, ses vaisseaux sanguins se dilatent pour rafraîchir le sang. Quand il fait froid, les vaisseaux se contractent pour conserver la chaleur. Les extrémités des cellules nerveuses de la peau envoient des messages au cerveau : leur effet se fait sentir par le toucher. La peau est totalement imperméable et défend l'organisme contre les substances nuisibles et même contre le soleil : ses cellules fabriquent la mélanine, une substance brune, qui donne à la peau un beau bronzage au lieu d'une brûlure dangereuse.

La surface de la peau, l'épiderme, contient une protéine, la *kératine*. Les poils, les cheveux et les ongles sont presque uniquement faits de kératine. Le derme, qui est plus épais que l'épiderme, ressemble à un réseau de fils très fins. Certains fils sont des fibres rigides de collagène qui donnent à la peau sa forme et sa consistance. Avec l'âge, ces fibres se relâchent et la peau devient flasque et ridée.

Des peaux différentes

Chaque espèce animale possède un type de peau qui convient à son genre de vie. Les requins sont couverts d'une peau rugueuse aux écailles pointues. Les grenouilles ont une peau humide qui leur permet de vivre aussi bien dans l'eau que sur la terre. Les oiseaux ont une peau souple qui produit des plumes. Leur bec et leurs serres sont formés de kératine comme nos ongles et nos cheveux.

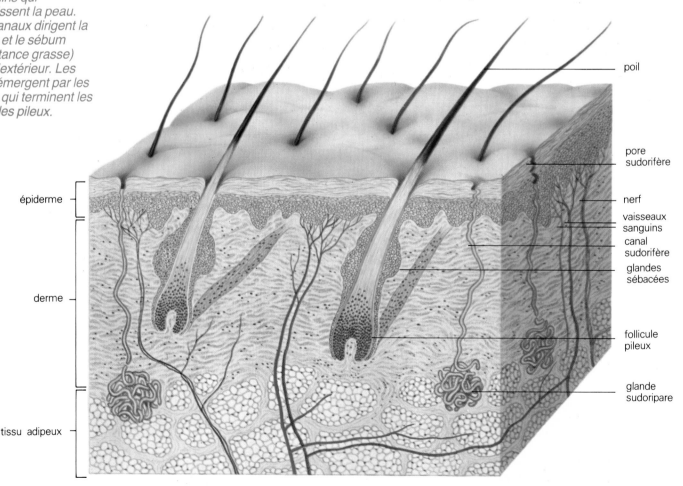

poil

pore sudorifère

nerf

vaisseaux sanguins

canal sudorifère

glandes sébacées

follicule pileux

glande sudoripare

épiderme

derme

tissu adipeux

▲ Les oiseaux, comme ce grand échassier, ont une peau lâche, sèche et fine qui produit des plumes. A l'inverse, l'hippopotame a une peau d'une épaisseur énorme.

▶ Les griffes de l'écureuil sont faites de kératine comme nos ongles et comme le bec des oiseaux.

La respiration : l'énergie tirée de l'air

▶ *Quand on respire, le diaphragme, puissant muscle, se soulève et s'abaisse pour faire entrer l'air dans les poumons et l'en faire sortir.*

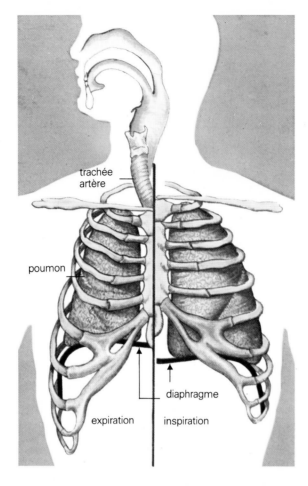

trachée artère

poumon

diaphragme

expiration   inspiration

Jusqu'à présent nous avons vu les diverses parties du corps et la manière dont elles travaillent ensemble sous les ordres du cerveau en se groupant en systèmes. Ces mêmes systèmes se retrouvent très souvent chez les animaux et les plantes, mais avec quelques différences. Le sang, le cœur, les poumons, une partie du système nerveux et le cerveau jouent leur rôle dans la respiration. Nos cellules, comme toutes les cellules vivantes, ont besoin d'énergie pour fonctionner. Une partie importante de cette énergie est fournie par l'oxygène de l'air. La respiration est la fonction qui consiste à faire passer un atome d'oxygène dans une cellule en échange d'une molécule de gaz carbonique indésirable. Tous les organes qui prennent part à ce processus constituent le *système respiratoire*.

Regardez un poisson dans un aquarium : ses flancs se gonflent en cadence ; des bulles d'air sorties de sa bouche viennent crever à la surface de l'eau. Le poisson respire mais il tire son oxygène de l'eau et non de l'air. Il fait passer l'eau à travers ses branchies qui extraient l'oxygène et l'échangent dans ses poumons contre du gaz carbonique. L'eau épuisée et le gaz carbonique sont renvoyées dans l'aquarium. Les grenouilles qui passent leur vie moitié sur terre, moitié dans l'eau sont appelées *amphibies*. Quand elles sont encore à l'état de têtards elles vivent dans l'eau et respirent par des branchies comme les poissons. Adultes, elles vivent sur terre et absorbent l'oxygène grâce à leur peau humide, aux vaisseaux sanguins de leur gorge, et à des poumons pareils aux nôtres.

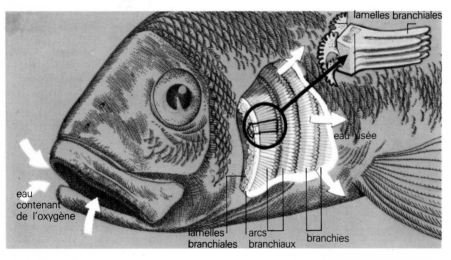

lamelles branchiales

eau usée

eau contenant de l'oxygène

lamelles branchiales   arcs branchiaux   branchies

▲ *Le poisson doit sans cesse avaler de l'eau pour respirer : les arcs et les lamelles des branchies absorbent l'oxygène contenu dans l'eau qui les traverse.*

◀ *La grenouille a trois manières de se procurer l'oxygène mais son sang le distribue dans l'organisme tout comme le nôtre. Quand elle est sur la terre ferme, elle le* *capte par sa peau, par les vaisseaux sanguins de sa gorge et par ses poumons. Quand elle est encore à l'état de têtard, elle vit sous l'eau et respire par des branchies, comme un poisson.*

► Cette maquette en matière plastique montre la façon dont les vaisseaux sanguins se ramifient dans les poumons. Les vaisseaux rouge vif acheminent le sang oxygéné jusqu'aux cellules, les vaisseaux bleus transportent le sang chargé de déchets à éliminer.

▼ Les poumons de l'homme ne peuvent pas tirer l'oxygène de l'eau comme le font les poissons. Quand on veut séjourner sous l'eau, il faut emporter de l'air à respirer dans une bouteille.

La digestion : l'énergie tirée des aliments

▶ *Certains pays souffrent d'un manque de nourriture. Souvent les enfants n'ont pas assez à manger et le peu qu'ils ont est mal équilibré. Ils ont le ventre ballonné parce que leur foie est engorgé et que leur tube digestif est rempli d'air.*

▼ *Dans les pays d'abondance, les maladies sont souvent dues à un excès de nourriture et à des aliments trop riches.*

D'autres substances que l'oxygène sont nécessaires à la vie des cellules. Elles sont fournies par le système digestif, une longue suite d'organes commençant à la bouche et se terminant à l'anus. Ce système est lui aussi commandé par le cerveau : le cerveau intervient pour nous signaler que nous avons besoin de boire ou de manger en nous envoyant la sensation de faim ou de soif. Il commet parfois une erreur d'appréciation et nous pousse à manger plus qu'il ne le faudrait. Parfois aussi, nous

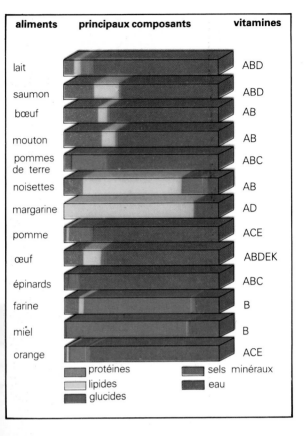

aliments	principaux composants	vitamines
lait		ABD
saumon		ABD
bœuf		AB
mouton		AB
pommes de terre		ABC
noisettes		AB
margarine		AD
pomme		ACE
œuf		ABDEK
épinards		ABC
farine		B
miel		B
orange		ACE

protéines — sels minéraux
lipides — eau
glucides

◄ *Quelques aliments, avec leur composition et leurs principales vitamines. Les sels minéraux ne représentent qu'une très faible partie, mais la quantité nécessaire à l'organisme est minime comparée aux besoins en protéines, glucides et lipides. Le miel contient surtout du sucre, un glucide (ou hydrate de carbone).*

▲ *Les protéines sont les aliments les plus chers. Les chercheurs font de grands efforts pour trouver le moyen de produire des protéines à bon marché pour que tout le monde puisse s'en procurer. On voit ici un biologiste étudiant des micro-organismes riches en protéines qui se multiplient rapidement et pourraient être introduits dans l'alimentation.*

buvons et mangeons pour des raisons sans rapport avec nos besoins : lors de réunions amicales, par exemple.

Les différents types d'aliments

Les aliments se divisent en trois grands groupes : glucides, lipides et protides. Dans toutes les parties du système digestif, il existe des substances nommées *enzymes* qui agissent sur l'une ou l'autre de ces sortes de nourriture pour les transformer et les rendre utilisables par les cellules. Les *glucides* viennent d'aliments comme le sucre et le pain. Ils fournissent une forme d'énergie qui peut être mise en réserve. Quand on en absorbe trop, ils se changent en graisse.

Les *lipides* sont des graisses riches en énergie et utiles à la formation des cellules, mais qui risquent de faire grossir lorsqu'on en abuse. Les *protides* sont des éléments indispensables à la construction des nouvelles cellules. Les muscles, les cheveux, les ongles et la peau sont de protéines. Les aliments comme le lait, la viande, le poisson, les légumes secs sont riches en protéines.

On parle beaucoup des vitamines et des sels minéraux qui doivent figurer dans l'alimentation. De quoi s'agit-il ? Ce ne sont en réalité que des substances qui servent à déclencher les activités chimiques de l'organisme. Il suffit en général de quantités infimes pour obtenir ce résultat. Les *vitamines* ont été désignées par des lettres de l'alphabet, dans l'ordre où elles ont été découvertes. Les *sels minéraux* sont également indispensables à la nutrition, mais il n'en faut pas beaucoup.

Le sel le plus important, le calcium, qui se trouve entre autres dans le lait, est nécessaire pour avoir des os, des dents, des muscles et du sang en bon état. Mais il en faut moins de 0,8 gramme par jour à un adulte, un peu plus à un enfant en pleine croissance.

Il n'existe aucun aliment qui soit capable à lui seul de fournir à l'organisme tout ce dont il a besoin. Aussi doit-on suivre un régime équilibré et éviter d'absorber un seul type d'aliments. Par exemple les carottes sont riches en vitamine A et sont recommandables. Mais un excès de vitamine A peut devenir toxique. Manger uniquement des carottes serait une sottise. Un régime sans protéines est également une cause de maladie grave. Tous les groupes d'aliments, glucides, lipides et protides, vitamines et sels minéraux doivent figurer dans l'alimentation.

Grandir et avoir des enfants

Les êtres vivants ont la propriété de créer des êtres qui leur ressemblent. Les plus simples, formés d'une seule cellule, se reproduisent en se divisant en deux. Les êtres les plus évolués, qui vivent plus longtemps, ont des mécanismes plus compliqués qui nécessitent la rencontre d'un élément mâle et d'un élément femelle.

Les êtres humains notamment ont un mode de reproduction sexuel. Une cellule mâle, dite *spermatozoïde*, se joint à une femelle, nommée *ovule*. Les spermatozoïdes se forment dans les glandes sexuelles de l'homme, les testicules. Les ovules sont produits par les ovaires, logés profondément dans le corps de la femme.

Les glandes sexuelles ne commencent à fonctionner qu'au bout de plusieurs années. L'âge où cela arrive, la puberté, est très variable. Tout dépend du climat, de la nutrition et de la manière de vivre. La transformation dure souvent plusieurs années et peut arriver n'importe quand entre neuf et dix-sept ans.

Chez les garçons, les poils commencent à pousser sur le visage, sous les bras et à l'entrejambe. La voix devient plus grave. Le pénis, conduit par où l'urine s'élimine, s'épaissit et s'allonge. Il peut introduire des spermatozoïdes dans le corps féminin pour donner le départ à un nouvel être humain ;

Les filles voient aussi leur système pileux se développer, mais pas sur leur visage. Elles commencent à être soumises à un cycle mensuel : tous les 28 jours environ, un ovule se détache le l'ovaire et descend

► *Pendant la croissance, le corps change d'apparence surtout entre 9 ans et 17 ans. Mais les changements se produisent à des âges différents selon les individus. Si vous avez des amis et amies qui sont fiers d'avoir déjà de la barbe ou de la poitrine, ils n'y sont pour rien, c'est leur nature. Rien ne dit que vous ne les rattraperez pas très bientôt.*

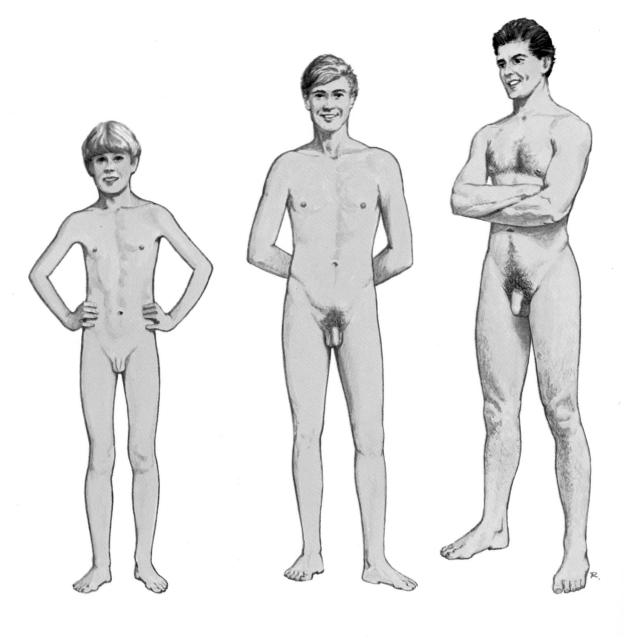

dans l'utérus, un organe en forme de sac où peut se développer l'œuf qui formera un bébé. Si l'ovule ne rencontre pas de spermatozoïde, il est chassé de l'utérus avec la muqueuse interne riche en vaisseaux sanguins pour que l'ovule suivant trouve place nette.

Au cours de cette évolution physique, filles et garçons sont souvent d'humeur changeante. Ils se sentent tour à tour tristes ou joyeux, énergiques ou paresseux. C'est parce que de puissantes hormones sont au travail dans l'organisme pour les transformer en adultes, et que leur influence s'exerce sur le cerveau, et donc sur le moral.

◄ Quand une femme attend un enfant, les glandes mammaires de sa poitrine se préparent à sécréter du lait. Vous avez peut-être vu un nourrisson chercher avec sa petite tête les seins de sa maman même quand elle est habillée. Instinctivement chaque bébé sait où est la poitrine de sa mère.

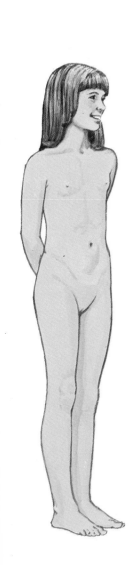

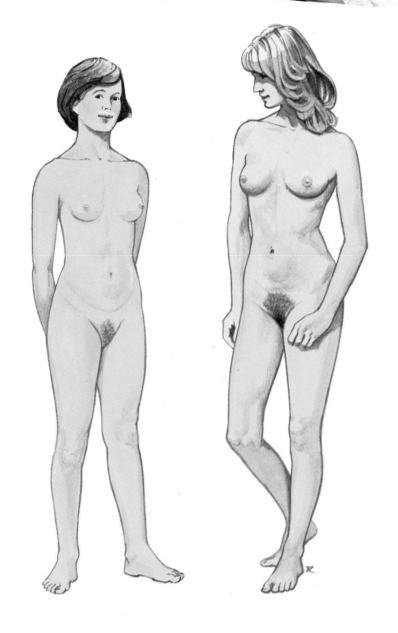

3. Des questions sans réponse

L'hérédité : à qui ressemble-t-on ?

A peine un enfant est-il venu au monde que chacun lui trouve des ressemblances et se pose des questions : « A-t-il le nez de son père ? Les yeux bleus de sa grand-mère ? Les cheveux roux du côté maternel ? » Toute la famille y passe !

Gènes et chromosomes

Ce qui est vrai, c'est que lorsque deux cellules provenant de deux individus différents s'associent pour former un autre être vivant, tous les caractères de l'une et de l'autre ont des chances de se retrouver combinés d'une manière nouvelle. On voit ainsi transmises d'une génération à l'autre, dans une même famille, la forme du nez, la couleur des yeux ou tout autre singularité. Cela se produit parce que chaque cellule renferme un programme précis qui se trouve dans les gènes. Les gènes sont des éléments fixés dans les *chromosomes*, sortes de filaments dont chaque cellule contient plusieurs paires. Les cellules humaines ont 23 paires de chromosomes. Pour former un œuf fécondé qui donnera un enfant, un chromosome de chaque paire de l'ovule se combine avec un chromosome de spermatozoïde de sorte que le nombre total reste le même. Avant la découverte des chromosomes grâce au microscope, on savait qu'il y avait des caractères héréditaires qui se transmettaient de génération en génération mais on ne savait pas comment. On croyait qu'il y avait « quelque chose dans le sang ».

Les gènes produisent des cellules qui sont leur copie exacte. Mais il arrive qu'un changement se produise brusquement. C'est ce qu'on appelle une mutation, comme lorsqu'un enfant ou un animal naît albinos, c'est-à-dire avec la peau et les poils sans couleur et les yeux rougeâtre. Parfois, la mutation permet à un être vivant de s'adapter à des conditions nouvelles.

La science qui étudie le rôle des gènes dans les cellules est la *génétique*.

◄ Cet enfant a hérité des cheveux blonds de la mère. Mais la composition de son matériel génétique est unique. Chaque être humain prend des éléments de son père et de sa mère dans des proportions qu'on ne peut ni prévoir ni changer. Il ne ressemblent jamais exactement à quelqu'un.

▼ Les gènes ne sont visibles que grâce à des microscopes très puissants. Heureusement pour les chercheurs qui étudient la génétique, la drosophile (mouche du vinaigre) a des gènes très faciles à observer.

► Cette cellule est sur le point de se diviser. Les chromosomes sont les filaments noirs à l'intérieur du noyau.

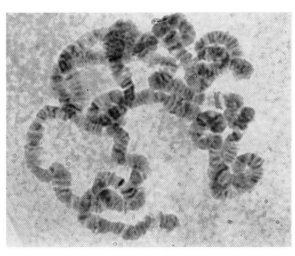

▼ Les vrais jumeaux ont un code génétique identique. Il existe entre eux des liens très forts, beaucoup plus que chez les autres frères et sœurs.